INVITATION
À LA PRATIQUE DU

DU MÊME AUTEUR

Parus en anglais

ZEN AND CREATIVE MANAGEMENT, Anchor Press, New York, 1976.

THE IRON COW OF ZEN, Theosophical Press, Wheaton (Illinois), 1985.

Albert Low

INVITATION
À LA PRATIQUE DU

Données de catalogue avant publication (Canada)

Low, Albert
Invitation à la pratique du Zen
ISBN 2-89357-021-6
1. Méditation zen. I. Titre.
BQ9289.5.L6814 1988 294.3'443 C88-096548-7

Maquette de la couverture: France Lafond

Photocomposition et mise en pages: Typoform inc., Québec

Éditions Primeur / Sand, 1988

Dépôt légal:
4e trimestre 1988

ISBN 2-89357-021-6

À ANITA, JOHN et STEVE

Table des matières

Préface

«Il est plus facile de naviguer plusieurs milles à travers le froid, la tempête et les cannibales... que d'explorer la mer personnelle, l'océan Atlantique et Pacifique de son être.»

Henry Thoreau.

Il y a toujours quelque chose dans nos vies qui tôt ou tard nous confronte avec l'absurde ou avec le «réel». La maladie cardiaque de ma fille Isabelle alors qu'elle était bébé, puis la mort de mon frère aîné, survenue en 1980, alors qu'il n'était selon moi qu'au milieu de sa vie, m'ont à nouveau mise en face de la question: «Quel est le Grand Sens?»

Les gens naissent, grandissent, aiment un peu, beaucoup, passionnément, parfois à la folie, parfois peu longtemps, font des enfants, réalisent leurs ambitions et meurent. Est-ce seulement cela, une vie réussie? Le Grand Sens?

L'existentiel a ses limites et les limites avouées sont toujours une invitation à rejoindre l'Essentiel qui nous habite tous. La fréquentation des ouvrages de quelques sages et, je pense, la recherche scientifique sur la perception subliminale m'ont permis d'entrevoir que l'humain était plus beau et plus grand qu'il ne se percevait. Pourquoi limitons-nous ainsi notre horizon?

Je lisais avec un ravissement indicible des contes zen et j'aspirais à être aussi «spirituelle» que les petits moines zen qui me touchaient par la finesse et la simplicité de leur humour. Puis, quelques années plus tard, j'ai ressenti le besoin de travailler, de collaborer avec ce «quelque chose» que j'ai cru être en moi et qui dépasse l'existentiel.

Au contact des conférences et des écritures des sages, mon esprit savait, mais j'avais besoin de connaître autrement qu'intellectuellement... C'est ainsi que j'ai sonné, sans m'annoncer, au Centre de Zen de Montréal, où j'ai rencontré Albert Low, le maître et directeur. Il m'a accueillie aimablement en me demandant ce qu'il pouvait faire pour moi. «Je sais beaucoup de choses que je sens être vraies mais je souhaiterais sincèrement qu'elles soient plus proches de ma vie quotidienne. Je ne sais trop pourquoi, mais il me semble que j'aurais besoin de l'énergie d'un groupe. Mais je ne connais pas la méditation zen.»

Il me l'a montrée sur-le-champ en me disant que c'était très simple, puis il ajouté: « En groupe, on arrive à méditer jusqu'à deux heures sans difficulté, alors que seul on fait vingt ou trente minutes. Vous devez d'abord pratiquer quelques mois chez vous, et si vous considérez que cette méditation vous convient, vous reviendrez méditer avec nous.»

Au début de l'année 1988, à la demande du magazine *Guide Ressources*, j'ai interviewé Albert Low, pour le numéro du printemps. J'ai appris qu'Albert Low était aussi un poète qui avait publié *The Iron Cow*, que c'était un chercheur qui avait traduit sous le titre *Let Go* l'ouvrage *Lâcher prise, théorie et pratique du détachement selon le Zen*, de Hubert Benoît, qu'il avait été un homme d'affaires engagé sur le plan des ressources humaines dans des multinationales, ce qui l'avait amené au Canada. C'est cette expérience d'homme d'affaires qui lui a fait écrire *Zen and Creative Management*, livre qui connut tant de succès aux États-Unis que les éditions Playboy en ont acheté les droits.

Dans cet article, Albert Low nous a appris la différence entre les états de «samadhi» et d'«illumination» et cet état permanent de non-dualité que l'on appelle «Éveil». Ces termes sont trop souvent confondus dans toute la littérature zen, qu'elle nous vienne de France, des États-Unis ou d'ailleurs. Albert Low est le premier, à mon avis, à permettre à ceux que la «philosophie éternelle» intéresse dans la pratique de bien comprendre ce qu'elle peut comporter d'illusions si quelqu'un ne nous a pas précédés sur ses sentiers à la fois obscurs et lumineux.

J'étais contente d'avoir pu connaître Albert Low avant d'apprendre tant de choses intéressantes sur lui. Je serais peut-être, autrement, redevenue une journaliste friande surtout d'informations nouvelles, voire exotiques.

Je sais que ce livre, pour l'avoir longtemps cherché, sera un précieux guide qui évitera beaucoup d'«erreurs» à ceux qui s'intéressent sincèrement à la pratique du Zen. Grâce à lui, vous serez initié plus rapidement que je ne le fus à l'esprit du Zen, qui va bien au-delà de l'humour et de la poésie qui m'ont tant séduite au début. La force du Zen enseigné par Albert Low vient de ce qu'il prend chacun où il est pour l'amener à l'Essentiel sans rejeter des valeurs aussi importantes que sa culture, son éducation ou sa religion. Ainsi, le Zen devient une voie directe qui ressemble à chacun.

Si l'on y pense bien, il n'est pas du tout étonnant qu'un homme comme Albert Low, qui a relevé tant de défis dans sa vie, ait choisi une terre jeune et dynamique pour enseigner ce qu'il a, dit-il, trouvé de plus beau dans sa vie et dans la vie. Parce que, malgré toutes les idées, tous les sentiments et les émotions que nous ajoutons quotidiennement à l'Essentiel, nous avons en nous la force et la vigueur de nos ancêtres les coureurs des bois et les grands bâtisseurs qui ont fait de ce pays l'un des meilleurs à habiter.

J'ajouterai, en terminant, que je suis très flattée que ce livre ait été traduit en français au Québec avant d'être publié en anglais au Japon. Je vous souhaite une bonne lecture. Mais surtout... une bonne pratique! Parce que, et Monsieur Low vous le dira lui-même, les mots ne sont jamais la chose et seule la pratique est vraie. Ce livre nous mène directement au coeur de la pratique...

Colette Chabot.

Introduction

Cher lecteur,

Habituellement, l'introduction sert à présenter au lecteur les grandes lignes d'un livre. Elle offre une vue d'ensemble et oriente le lecteur dans la bonne direction. Dans l'introduction, l'auteur explique en effet ce qu'il a tenté d'accomplir en rédigeant son livre. Toutefois, au lieu de me limiter à cela, je vous invite, cher lecteur, à vous joindre à moi et à participer à la rédaction de cette introduction.

Ce livre traite, bien sûr, du Zen. Il s'adresse aux gens qui ne connaissent que peu ou pas du tout le sujet. La présentation de ce livre a donc été simplifiée au maximum, de façon à ce qu'on ait une vue d'ensemble de la forêt, qu'on ne se bute pas à un arbre ou à un autre. Le Zen est essentiellement une pratique et non une théorie ou un dogme. Si vous persévérez dans l'apprentissage naturel et intuitif de cette pratique, vous en percevrez plus clairement les nuances et les plus fins détails.

Cela dit, j'aimerais vous poser une question à laquelle je vous aiderai à répondre: pourquoi êtes-vous intéressé à lire un livre traitant de la pratique du Zen? Peut-être y réfléchirez-vous avec moi tout en parcourant cette introduction et en viendrez-vous ainsi à une orientation plus personnelle que celle qui vous serait uniquement dictée par l'auteur. Ce livre n'en sera que plus vivant, plus important à vos yeux.

Est-ce, par exemple, uniquement la curiosité qui vous a amené à choisir ce livre? Est-ce en bouquinant chez un libraire que vous avez découvert ce livre et que vous avez eu envie d'y jeter un coup d'oeil? Ou encore peut-être avez-vous entendu parler du Zen par un ami ou en regardant une émission de télévision et avez-vous eu envie d'en savoir plus long? La curiosité est un sentiment étrange. Nous voulons toujours en savoir plus; on s'interroge, on examine, on étudie. Et il en est ainsi non seulement pour les êtres humains mais aussi pour tous les êtres vivants. Avez-vous déjà observé un chaton et remarqué sa façon de tout examiner, de tout sentir, toucher, mordiller, toujours intéressé qu'il est d'en savoir plus? En anglais, le mot «curieux» (*curious*) a des liens de parenté avec deux autres mots: *care* (soin) et *cure* (remède). Il est donc compréhensible qu'un chat se montre à la fois soigneux et curieux de toutes les choses qui l'entourent. Les liens qui unissent les mots «curiosité» et «soin» sont par-là même évidents. Mais quels liens peut-on établir entre les mots «curiosité» et «remède»? À quoi la curiosité serait-elle un remède?

La curiosité n'est peut-être pas le motif qui vous a poussé à lire cet ouvrage d'introduction au Zen. Vous êtes peut-être de ceux qui recherchent le bien-être physique. Nous sommes sans doute la génération la plus consciente de la valeur de la santé. Le fait que l'espérance de vie soit maintenant de soixante-quatorze ans n'est d'ailleurs pas étranger à cette préoccupation. Mais que recherchez-vous? Une bonne santé physique? Un meilleur équilibre psychologique? Dans notre société dite «psychologique», il nous est possible d'obtenir une consultation pour à peu près n'importe quoi: insomnie, impuissance, alcoolisme, toxicomanie, amélioration de nos relations avec autrui, affirmation de soi, etc. Alors peut-être comptez-vous parmi les milliers de gens qui désirent pratiquer une forme quelconque de méditation afin d'améliorer leur bien-être physique et leur équilibre psychologique. Plusieurs études ont démontré que la méditation peut parfois soulager les personnes souffrant d'hypertension, de troubles cardiovasculaires ou de maladies causées par le stress. C'est d'ailleurs pourquoi nombre de psychothérapeutes se tournent vers la méditation pour procurer à leurs patients lucidité et stabilité.

Bien des gens pratiquent la méditation à cause de ses effets bénéfiques indéniables sur la concentration d'esprit. Et cela ne s'applique pas uniquement à la concentration requise pour étudier, mais aussi à celle requise par les activités athlétiques et sportives. Cela apparaît plus évident encore lorsque l'on songe que le Zen est le fondement des arts martiaux comme l'escrime, le karaté et le tir à l'arc. La tradition nous révèle que l'art de l'autodéfense, qui ne recourt pas aux armes, a été introduit en Chine par un moine bouddhiste appelé Bodhidharma. Le temple Shao-lin, qui est maintenant restauré, est devenu un sanctuaire pour les adeptes des arts martiaux. Bodhidharma fut également le premier patriarche du Zen en Chine; aussi les arts martiaux et le Zen partagent-ils un même héritage. De fait, un bon professeur de karaté insistera auprès de ses élèves sur la nécessité d'avoir des connaissances de base en matière de Zen. D'ailleurs, une personne ayant une forte concentration d'esprit peut non seulement réussir dans la pratique des arts martiaux mais aussi atteindre une plus grande maîtrise de soi, ce qui lui permet d'éviter tout abus des pouvoirs acquis par le développement de son adresse.

Peut-être voulez-vous devenir plus créatif? Ce n'est pas en apprenant ce qu'est la créativité ou même en étudiant les techniques et les moyens y conduisant que nous y parvenons. La créativité est la force vitale en action; tout ce qui vit est essentiellement créateur. La question est alors de savoir comment être plus vivant et moins inhibé.

Mais alors que recherchez-vous précisément? Des réponses à vos questions? Un nouveau mode de vie? La paix et la plénitude? Réfléchissez à cette question pendant un moment. Puis posez-vous-en une autre: est-il suffisant de seulement désirer? Ou, pour présenter la question un peu différemment, la vie se limite-t-elle à désirer et à satisfaire des désirs? Nous avons une foule de désirs: nous voulons posséder des biens, tenter des expériences, apprendre des choses; nous voulons de l'amour, de l'attention, le bonheur, la réussite. Si vous allez dans un centre commercial le samedi, vous verrez des centaines de gens — et il y a des milliers et des milliers de centres commerciaux tous semblables où fourmillent des centaines de personnes — qui achètent les objets qu'ils ont tant espéré obtenir, pour ensuite en désirer de nouveaux. Mais la vie se limite-t-elle à définir un besoin pour ensuite tout mettre en oeuvre pour le satisfaire, puis à passer au besoin suivant et ainsi de suite? La vie consiste-t-elle uniquement à se fixer des objectifs — carrière, vie personnelle, argent, sécurité, santé — pour ensuite s'efforcer de les atteindre?

Posez-vous cette question: quel sens ai-je donné à la vie, à ma vie? Qu'est-ce qui importe le plus pour moi? Imaginez un instant qu'une fée vous offre de réaliser un seul de vos désirs. Que lui demanderiez-vous? Un million de dollars? L'amour réciproque? La réussite d'un projet? La connaissance, ou encore la sagesse? Lorsque l'on se pose cette question sincèrement, lorsque l'on ne se satisfait pas des réponses toutes faites, des clichés, des conditionnements provenant de la société, de la famille, des amis, de la télévision, du milieu scolaire, un sentiment étrange nous envahit: *il y a quelque chose que l'on veut désespérément, mais ce n'est rien à quoi l'on puisse donner un nom.* Nous éprouvons un malaise profond, si profond, semble-t-il, que rien ne peut l'apaiser. Et ce n'est pas un besoin d'immortalité ou de magie, ni celui de réaliser un rêve idyllique. Mais qu'est-ce donc?

C'est ce besoin indéfinissable mais pourtant réel qui sous-tend tous nos autres besoins et toute notre curiosité.

C'est ce besoin qui nous pousse à fouiller dans les livres dans l'espoir d'y trouver quelque secours. C'est à ce malaise indéfinissable que nous tentons de trouver remède... Et c'est peut-être ce qui vous a poussé à choisir ce livre plutôt qu'un autre.

Le Zen ne fournira pas de réponses à vos questions: il n'est ni une philosophie ni une doctrine théologique. Il vous aidera cependant à découvrir la réponse, votre réponse, qui n'est pas faite de mots, de définitions ou de grandes théories, mais qui est une nouvelle façon de vous percevoir et de percevoir le monde. Pour comprendre cela parfaitement, pour bien comprendre qu'*il n'y a vraiment rien de tel que le Zen*, il faut des mots et des efforts. En fait, il faut le Zen. Ce livre vous fournira les mots pour autant que vous fournissiez les efforts nécessaires — ce n'est pas un marché très équitable parce qu'en bout de ligne les efforts auront été beaucoup plus nombreux que les mots, et qui peut dire ce que vous obtiendrez en fin de compte? Ce ne sera peut-être rien de plus que ce que vous avez déjà, mais — qui sait ? — vous l'aurez peut-être d'une manière entièrement nouvelle.

PREMIÈRE PARTIE

Orientation de la pratique

CHAPITRE PREMIER

Qu'est-ce que le bouddhisme?

Le mot «Bouddha» signifie «celui qui est éveillé»

Faisons tout d'abord un peu d'histoire. Si l'histoire peut parfois nous paraître abstraite et lointaine, celle qui va suivre a, comme vous le verrez, prise directe sur chacune de nos vies.

Comme la plupart des gens le savent, le Zen est une pratique bouddhique. Pour jeter les bases de ce qui va suivre, il nous faut d'abord aborder le bouddhisme; dans le chapitre suivant, nous traiterons plus spécifiquement du Zen.

D'origine sanscrite, le mot «Bouddha» signifie «celui qui est éveillé». En plus d'être une langue fort ancienne, le sanscrit est, comme le latin, une langue morte qui a survécu au temps pour des raisons d'ordre religieux. Toutefois, le sanscrit fut jadis une langue vivante, et le mot «Bouddha» était alors un mot vivant, qui signifiait «éveil» ou «retour à la conscience». Il faisait donc partie du langage quotidien et n'avait aucune signification spéciale ou valeur particulière. Plus tard, ce mot signifia «éveil spirituel», et plus tard encore il désigna une personne en particulier, Siddhartha Gautama.

L'éveil spirituel ou bouddhisme remonte aux origines de l'humanité et constitue un potentiel inhérent à tout être humain. À proprement parler, le bouddhisme ne peut être confiné à une culture ou à une région en particulier. Cependant, il arrive périodiquement qu'une personne atteigne un degré d'éveil tel qu'elle puisse insuffler une vie nouvelle aux enseignements spirituels existants. L'une de ces personnes fut Siddhartha Gautama, que les bouddhistes appellent Bouddha.

Le bouddhisme et Shakyamuni

Naissance et jeunesse

Siddhartha est né dans le nord de l'Inde, d'un père qui, selon la tradition, était le chef de la tribu des Shakyas. Plus tard, lorsque l'on reconnut les qualités de sage de Siddhartha, on commença à l'appeler Shakyamuni; le mot «muni» signifiant «sage» et même «saint», Shakyamuni était donc le sage de la tribu des Shakyas.

La coutume voulait qu'on consulte les astrologues lorsqu'un enfant venait au monde. Ces derniers avaient prédit que Siddhartha deviendrait un jour soit un roi, soit un moine. À cette époque, la vie d'un moine était pénible et ardue. Il n'y avait pas de monastères; les moines[1] menaient une vie de nomades, en solitaires ou en petits groupes. Cherchant à atteindre la purification spirituelle par diverses pratiques ascétiques, ils dormaient à la belle étoile et se nourrissaient comme ils le pouvaient, en mendiant ou en cueillant des fruits sauvages, des baies et des herbes. Le père de Siddhartha voulut éviter à son fils les épreuves de la vie ascétique; il fit donc tout ce qui lui était possible pour épargner à l'enfant — et plus tard à l'homme — les visions et les expériences qui pourraient l'amener à chercher une voie spirituelle. Il fit construire un luxueux palais entouré de magnifiques jardins autour desquels s'élevait une très haute muraille qui le protégerait du monde extérieur. Il espérait ainsi épargner à son fils tout souci et toute inquiétude.

1. Le mot «moine» vient du mot grec «monos» qui signifie «seul» ou «solitaire».

Siddhartha grandit à l'ombre de cette muraille, jouissant pleinement de tout ce que cette vie pouvait lui offrir. Plus tard, il se maria et eut un fils.

Les quatre rencontres

Cependant, peu après la naissance de son fils, Siddhartha se lassa de ce luxe et de ce confort étouffants. Il se sentait de plus en plus prisonnier d'un mode de vie dont l'excès même était devenu une source de tourments et un motif d'évasion. Il décida un jour de s'échapper et d'aller visiter une ville voisine. Accompagné de son cocher, il franchit les portes du palais et fit route vers cette ville. Il n'y parvint toutefois pas, car il fit en chemin la première de quatre rencontres qui allaient complètement transformer sa vie. Il rencontra un homme malade, courbé, maigre et affaibli, qui se traînait péniblement sur le bord de la route. Siddhartha n'avait encore jamais vu la maladie car à l'intérieur des murs n'étaient admis que les jeunes et les bien-portants. Sidéré, il fit arrêter le carrosse et demanda au cocher, en montrant l'homme du doigt: «Qu'est-ce qu'il a, cet homme? — C'est un homme malade, sire, répondit le cocher. La maladie est le lot de l'homme. Tout être vivant peut, à un moment donné, être frappé par la maladie.» Pour quelqu'un qui n'avait même jamais soupçonné l'existence de la maladie, cette rencontre et ces propos se révélèrent profondément troublants. Soucieux et confus, Siddhartha ordonna au cocher de faire demi-tour et de rentrer au palais. Une fois à l'intérieur du palais, il reprit ses habitudes jusqu'à ce que renaissent en lui le sentiment angoissant d'être prisonnier du plaisir et le besoin pressant de fuir de nouveau. Une fois de plus, il franchit l'enceinte avec son cocher. Il fit alors une deuxième rencontre qui provoqua chez lui un choc encore plus brutal. Il rencontra un vieillard. Il posa sa question et il reçut sa réponse: «C'est un vieillard, sire. Tout ce qui vit est appelé à vieillir.» Siddhartha fut si troublé qu'il se réfugia de nouveau au palais. Peu après, il tenta encore de s'enfuir et d'échapper à la pénible langueur du palais. Sur sa route, il rencontra quelque chose qui le bouleversa: c'était un cadavre.

Il se fit alors dire: «Tout ce qui vit est appelé à mourir un jour ou l'autre.» À ces mots, Siddhartha, poussé par l'angoisse, s'enfuit pour retrouver la sécurité du palais.

Chacune de ces rencontres s'imprégna plus profondément dans son esprit et il lui sembla que jamais plus il ne retrouverait la paix intérieure. Dès lors, la maladie, la vieillesse et la mort, calamités de la vie et sources d'insécurité, commencèrent à le hanter. Aucune muraille ne pourrait désormais les empêcher d'entrer, aucune espèce de confort ou de luxe ne pourrait les chasser, aucune oeuvre ne pourrait les réduire à néant.

On dit que la religion est née d'un appel à l'aide. Eh bien, Siddhartha criait de tout son être pour qu'on lui porte secours. Il franchit une fois de plus l'enceinte et fit une quatrième rencontre qui allait finalement changer sa vie ainsi que celle d'un nombre incalculable de gens. Siddhartha rencontra un moine. Lorsqu'il demanda ce qu'était un moine, on lui répondit que c'était une personne qui cherchait une voie au-delà de la maladie, de la vieillesse et de la mort. Ce jour-là, Siddhartha décida qu'il allait devenir moine et chercher cette voie. La nuit venue, lorsque sa femme et son enfant, ses amis et ses serviteurs furent profondément endormis, il se glissa hors de la maison, franchit les portes du palais et se rendit dans la forêt avoisinante. Il s'y arrêta pour retirer ses fins vêtements et couper sa longue chevelure. Puis, abandonnant tout ce qu'il avait possédé et aimé, il s'enfonça dans la forêt pour chercher des réponses aux questions qui le dévoraient intérieurement. Il souhaitait trouver un sens à sa vie afin d'échapper au cul-de-sac d'une existence qui le menait inéluctablement à la maladie, à la vieillesse et à la mort.

La quête

Il lutta pendant six ans pour trouver la paix intérieure. Il rencontra des maîtres et expérimenta toutes les pratiques ascétiques, y compris les plus dures et les plus pénibles. Il en vint même à se sustenter de si peu de nourriture qu'il finit par souffrir gravement de sous-alimentation; puis il atteignit un degré de faiblesse tel qu'il risquait de défaillir. La mort était imminente. Amaigri et tourmenté, Siddhartha se rappela l'époque de ses seize ans, où, assis à l'ombre d'un pommier, il avait réalisé une unité qui lui avait semblé illuminer tout ce qui existe. Il avait perçu l'unité invisible qui relie toutes choses dans un univers vaste et sans fin. Il avait eu l'impression, à ce moment, d'être près de la vérité, et maintenant, plusieurs années plus tard, se souvenant de cela, et à l'extrême limite de son endurance, il voulait de retrouver cette porte qu'il avait atteinte sans la franchir. Il résolut de s'asseoir sous l'arbre de Bodh et de méditer pour sonder les profondeurs de cette unité. Poursuivre sa méditation, tel était son voeu, même si sa peau devait se dessécher, ses os se désintégrer et tomber en poussière, et il ne s'arrêterait pas avant d'avoir pénétré au coeur même de cette vérité.

L'Éveil et l'enseignement

Il s'assit donc et lutta contre toutes sortes de conflits intérieurs et de tentations, contre le désespoir et l'angoisse, jusqu'à ce qu'un matin, très tôt, il vît se lever l'étoile du matin; il la vit comme pour la première et unique fois, avec une clarté qui dépassait toute vision subjective. Il la vit tout en étant elle et le vaste espace qui l'entourait; il la vit sans aucune séparation. À ce moment précis, il franchit en un instant une autre étape: il devint profondément «éveillé».

C'est à ce moment qu'il devint Bouddha. Sa première réaction fut de s'exclamer de joie: «Merveille des merveilles! Tous les êtres, quels qu'ils soient, sont entiers et complets. Tout être peut atteindre l'Éveil.» Fort de cette croyance qui surpassait la simple certitude ou conviction, il transmit son savoir durant plusieurs années à travers toute l'Inde. Il devait avoir un comportement fort impressionnant car sa seule présence attirait les foules. Son enseignement était extrêmement pratique; il apportait un message d'espoir et de compassion et montrait la voie à suivre par-delà les souffrances de la vie.

Le sens de cette histoire

L'histoire de Bouddha a plus qu'une simple valeur historique. Elle nous enseigne que chaque être possède le potentiel nécessaire à l'Éveil, et que, craignant les efforts et la douleur que cela semble représenter, nous tentons de l'ignorer. Nous avons érigé des remparts de dogmes et de préjugés, croyant ainsi pouvoir fermer les yeux sur l'inexorable vérité de la vie, à savoir que tout est soumis au changement. Notre lot à tous est la maladie, la vieillesse et la mort. Chacun d'entre nous, à sa façon, a fait face à cette vérité: il nous arrive d'être malades, le temps passe et nous vieillissons, des parents et des amis meurent. Nous savons bien dans notre for intérieur que l'insécurité est à la base de toute vie, mais nous nous retranchons toujours et encore dans la sécurité illusoire d'un monde de rêves. «N'y pensons pas. Attendons que cela arrive; il sera encore temps d'y faire face.» Mais le ver de l'incertitude nous ronge jusqu'au plus profond de nous-mêmes, et la plupart d'entre nous menons une vie remplie d'anxiété, d'instabilité et d'agitation.

Il y a pourtant une solution de rechange. Cela est parfois douloureux et difficile, mais chacun de nous a reçu comme héritage naturel le potentiel nécessaire à l'Éveil qui mettrait fin à notre souffrance. Essayons de bien comprendre ce que cela signifie.

Les quatre nobles vérités

La souffrance

La souffrance est une réalité de la vie. C'est la première chose que Bouddha enseigna. La souffrance n'est ni le fait du hasard ni une punition. Se demander pourquoi nous souffrons équivaudrait à se demander pourquoi nous respirons. On raconte qu'une femme qui portait dans ses bras son enfant mort se rendit voir Bouddha après qu'il eut connu l'Éveil suprême. L'enfant s'était fait mordre par un serpent en jouant, et sa mère espérait trouver quelque consolation et soulagement à sa peine. Bouddha lui dit qu'il pouvait l'aider mais qu'elle devait d'abord lui apporter une graine de moutarde provenant d'une maison où on n'avait pas connu la souffrance. Elle alla donc de maison en maison pour trouver la graine, mais si plusieurs la lui offraient, jamais elle ne provenait d'une maison où la souffrance était inconnue. La femme retourna donc voir Bouddha, qui lui dit:

> «Ma soeur, tu as trouvé,
> En cherchant ce que nul ne trouve, ce baume amer
> Que j'avais à t'offrir. Hier, celui que tu aimais reposait
> Dans la mort sur ton sein; aujourd'hui,
> Tu sais que le monde entier pleure de ton chagrin.»

Le soulagement

Ces propos peuvent paraître pessimistes. On peut en effet se demander en quoi il peut être apaisant de savoir que la souffrance est le fondement de la vie et que tous sans exception sont appelés à la connaître. Ne vaudrait-il pas mieux oublier tout cela et regarder le bon côté des choses? Oui, si seulement nous le pouvions. Mais hélas, l'honnêteté et l'expérience nous apprennent que cela nous est impossible.

Ce n'est pas uniquement par le bouddhisme que l'on découvre la nécessité de s'ouvrir à la réalité de la souffrance. Il existe un hymne ancien que l'on attribue à Jésus et qui dit:

«Si vous saviez comment souffrir,
Vous auriez le pouvoir de ne pas souffrir.»

En niant la souffrance et en affirmant qu'elle n'est qu'un aléa de la vie, un fait dérangeant ou encore quelque chose qui ne devrait pas exister, nous ne faisons que contourner le problème. Lorsque la souffrance se manifeste, réelle et vraie, aucune négation ne peut la chasser. Mais en y faisant face, il nous est au moins possible d'apprendre à souffrir et ainsi de la transcender. C'est à la lumière de cette transcendance que Bouddha fit son premier sermon et qu'il proclama: «Tout est souffrance!» C'était là la première noble vérité, un principe de vie. Aucun pessimisme ne guidait ses propos. Il n'a d'ailleurs pas dit: «La souffrance existe et nous ne pouvons que nous y résigner.» Il a au contraire proclamé que nous devions faire face à cette réalité et que seule cette attitude pouvait nous libérer.

Mettons de côté pour l'instant la deuxième noble vérité et passons à la troisième, qui annonce, aussi clairement, qu'il existe un moyen de transcender la souffrance: nous possédons tous virtuellement le pouvoir de nous soustraire à la souffrance. Toutefois, pour exercer ce pouvoir, il nous faut assumer pleinement la responsabilité de notre souffrance, et c'est là la deuxième noble vérité. La souffrance vient du désir, du désir insatiable d'être un individu, et même d'être un individu immortel. La souffrance n'a pas son origine à l'extérieur de nous-mêmes; elle ne nous est pas infligée et nous en sommes en fait responsables. Voilà le grand enseignement de Bouddha. «Par soi-même, dit-il, le mal est fait; par soi-même l'on souffre; par soi-même le mal est défait; nul ne peut purifier l'autre.»

Le désir intense d'être unique et distinct influence toute notre existence: notre perception du monde, nos actes ainsi que nos paroles. Il affecte même notre façon de gagner notre vie et déforme nos principes et notre ligne de conduite. À cause de ce désir, nous vivons endormis dans un monde de rêves, disséminant notre énergie et notre attention. Le moyen de transcender la souffrance nous fut donné par Bouddha comme la quatrième noble vérité, que l'on connaît sous le nom de «sentier octuple». Celui-ci est fondé sur la vision juste du monde, l'effort juste, la parole juste, les moyens justes d'existence, l'action juste et la pensée juste. Il est aussi fondé sur l'attention juste et la concentration juste. Le Zen met l'accent sur ces deux derniers aspects, comme nous le verrons plus loin. Le mot «juste» ne signifie pas ici «juste» par rapport à un modèle de perfection ou à un ensemble de règles; il signifie plutôt l'absence de déformation causée par le désir d'être séparé. L'attention et la concentration justes, par exemple, engendrent un esprit clair et calme, ce qui est le fondement de la vie spirituelle et morale.

La réalité de la souffrance résultant de notre désir d'être distinct de même que la possibilité de transcender cette souffrance en dissolvant ce qui fausse nos relations avec autrui et avec le monde constituent la base et la motivation nécessaires à tout effort spirituel. Cette réalité est, d'une manière ou d'une autre, sous-jacente au bouddhisme, au christianisme et à toute autre activité spirituelle. Il existe plusieurs façons de prendre conscience de cette réalité, et le Zen constitue l'une d'elles. Toutefois, le Zen est une pratique bien vivante et éprouvée, et par surcroît accessible à tous à divers degrés. Abordons maintenant le Zen de façon plus spécifique afin de le mieux comprendre.

CHAPITRE DEUX

La signification du mot «Zen»

Zen, Ch'an et Dhyana

Le mot «Zen» est un mot japonais; en effet, ce que nous savons du Zen nous est principalement venu du Japon, par les écrits d'un bouddhiste zen japonais du nom de D.T. Suzuki, et par plusieurs réputés maîtres zen américains et japonais. Cependant, le Zen ne provient pas du Japon mais de la Chine, où il est connu sous le nom de Ch'an; les Chinois, quant à eux, ont reçu cette pratique de l'Inde. Dérivant d'un mot sanscrit, «Dhyana», le mot «Zen», ou «Ch'an», traduit librement, signifie «méditation», ou encore «état transcendant le sujet et l'objet». Le Tibet, le Viêt-nam, la Thaïlande, le Kampuchea et la Corée possèdent tous leur propre version du Dhyana, pratique qui a retenu l'attention des plus illustres esprits de ces civilisations anciennes.

Durant plusieurs siècles, nous, les Occidentaux, avons eu tendance à regarder de haut l'Orient, parce que nous croyions que notre plus grande aptitude à contrôler et à utiliser les forces matérielles de l'univers dénotait notre supériorité en tant qu'être humains. Plus récemment, il est apparu à plusieurs que les progrès remarquables accomplis par la civilisation occidentale dans le développement des sciences physiques nous avaient amenés à négliger un autre aspect de la vie, un aspect plus humain et plus personnel. Et c'est précisément sur le plan humain, personnel et, bien sûr, spirituel que le Zen a le plus à offrir.

Au-delà des contraires

Nous avons dit que le mot «Zen» dérivait du mot «Dhyana», dont on peut dire qu'il signifie «au-delà du "sujet" et de l'"objet"», ou, si l'on veut, «au-delà du "je" et de l'"univers"» ou encore «au-delà du "je" et du "cela"». Attardons-nous quelque peu sur ces mots.

«Aller au-delà ou pénétrer en soi»

La plupart d'entre nous croient que le mot «je» se réfère à quelque chose qui est en nous et dont la réalité diffère passablement de tout ce qui l'entoure. Nous croyons aussi que l'univers, que nous désignons par le mot «cela», renferme une tout autre réalité, très différente de la réalité du «je»; ces deux réalités sont, croyons-nous, à ce point différentes qu'elles sont complètement étrangères l'une à l'autre. Tenant cela comme un fait acquis, nous sommes persuadés que le «je» constitue ou contient quelque chose que nous pourrions, si tel était notre désir, dévoiler et connaître; nous tenons également pour acquis qu'une chaise, un livre ou une maison procèdent d'une substance qui peut aussi être dévoilée et connue, pour autant que nous en grattions en quelque sorte la surface. Le «je», dirions-nous, est l'âme ou l'esprit, une substance plus fine; la chaise n'est que vulgaire matière, pouvant être sculptée et utilisée. Nous pourrions presque dire: «Je suis ici et l'univers est là-bas», de l'autre côté de l'abîme qui nous sépare. Même notre corps habite cet ailleurs, bien qu'il y ait là, il est vrai, une certaine ambivalence, alors que nous hésitons entre l'idée que nous sommes ce corps et celle que nous sommes *à l'intérieur* de ce corps.

Ce discours sur le fait d'aller au-delà du sujet et de l'objet, au-delà du «je» et du «cela», peut paraître un peu abstrait et philosophique, et sembler n'avoir que peu ou pas de répercussions sur la vie de tous les jours. On pourrait penser que le dépassement du sujet et de l'objet est une très bonne chose pour les mystiques et ceux qui vivent en marge de la réalité, mais n'a que peu de valeur pour un gérant, un dactylographe, un briqueteur, un vendeur, un camionneur, un médecin ou un avocat; pour la plupart des gens, survivre aux difficultés économiques est une préoccupation de tous les instants et qui ne permet que peu de distractions.

Toutefois, quelques instants de réflexion suffiront à nous montrer que les mots, «je» et «cela» notamment, sont eux-mêmes des abstractions. Ce sont des outils commodes et très utiles pour décrire et ordonner ce qui se passe autour de nous, mais ils ne sont que des commodités. Une voiture aussi est un objet très utile, mais il serait limitatif d'affirmer que la seule réalité que l'on puisse percevoir est celle que nous renvoie son pare-brise. Cela ne veut pas dire que nous devons méconnaître ou nier cette réalité. De même, l'image perçue à travers l'écran du «je» et du «cela» est très utile, mais le fait d'en faire le seul point de vue possible ne signifie pas seulement que nous nous limitons nous-mêmes inutilement, mais encore que nous nous condamnons à des énigmes déchirantes, dont la plus déchirante est celle de la naissance et de la mort. Si le «je» est une réalité distincte des autres réalités, nous sommes tentés de nous demander: «Où étais-je avant la naissance et où serai-je après la mort?» Tant et aussi longtemps que le «je» est *quelque chose* d'indépendant, de séparé et même d'opposé au «monde», ces questions vont nous hanter: «D'où est-ce que je viens? Où irai-je après la mort? À quoi tout cela rime-t-il?» De nos jours, le problème de la mort en est un très important, et le sens de la mort est devenu une question à ce point cruciale que le fait de refouler ou d'éviter la pensée de la mort constitue maintenant, plutôt que la sexualité, la principale cause de névrose et d'angoisse incontrôlable.

Si nous considérons le «je» et l'«univers» comme réels, toute possibilité d'atteindre une unité sous-jacente est irréelle. Si, par contre, cette unité sous-jacente est réelle, le «je» et l'«univers» ne sont que des moyens pour que nous soit révélée cette unité, et la réalité du «je» et de l'«univers» est relative. Pour éclaircir ce point, utilisons l'image d'une tasse. Toute tasse comporte une partie extérieure et une partie intérieure, lesquelles diffèrent passablement l'une de l'autre. Le thé que l'on y verse, par exemple, coule évidemment à l'intérieur de la tasse et non à l'extérieur de celle-ci.

L'intérieur et l'extérieur sont deux choses distinctes, pourtant la tasse forme un tout. De même, le «je» et l'«univers» sont deux choses assez différentes, et pourtant la vie ne fait qu'un: le «je» pourrait être considéré comme l'«intérieur» de la vie tandis que l'«univers» en constituerait l'«extérieur». Trop absorbés par l'illusion du «je» et trop fascinés par l'«univers», nous perdons de vue qu'une seule et même vie les habite.

Mais de dire que le «je» et l'«univers» sont des illusions ne signifie pas qu'ils n'existent pas. Ils existent au même titre qu'un rêve ou un songe ont leur existence propre. Tout se passe comme lorsque nous allons au cinéma. Nous sommes totalement fascinés par ces images en mouvement. Nous nous réjouissons des exploits des héros et nous déplorons leurs échecs. Nous nous laissons porter par le spectacle; nous voulons que l'action se poursuive et que le film continue. Lorsque le film est terminé, il ne reste plus que la lumière blanche sur l'écran, à laquelle nous ne prêtons pas attention. Et pourtant, après tout, ce qui nous a tant captivés n'était rien d'autre que les variations de cette lumière, ses ombres tantôt claires, tantôt foncées. En outre, quiconque a assisté à la réalisation d'un film sait que ces ombres ne résultent que de divers fragments et séquences que nous assemblons nous-mêmes en un tout. Eh bien, cette lumière blanche ressemble à la Vie, qui, elle aussi, est une. Tout ce que nous savons et ressentons, tout ce que nous sommes n'est que variations de la Vie, des ombres obscurcissant la lumière de cette vie. Les ombres sont bien là, elles ont leur existence propre, mais leur réalité ne procède que de la blanche lumière.

«Aller au-delà comme rentrer chez soi»

Le Zen, ou Dhyana, consiste à aller au-delà des oppositions «je/univers», «vie/mort», «ici/là», au-delà de tout ce qui peut être décrit ou expérimenté. Bien sûr, de même que, lorsque nous allons au-delà de l'intérieur et de l'extérieur d'une tasse, nous n'allons en fait *nulle part* mais ne faisons que changer de perspective, de même, lorsque nous allons au-delà du «je» et de l'«univers», nous n'allons non plus nulle part. Il est important de le signaler parce que certains croient que la méditation nous mène «à l'extérieur de nous-mêmes», nous fait «entrer en transes» ou accéder à «un niveau supérieur de conscience». Or, cela ne se produit pas avec la pratique méditative du Zen.

Le «je» et l'«univers» sont des moyens de connaissance. Il nous est possible de changer les moyens de connaissance, mais la connaissance elle-même demeure inchangée, telle l'argile qui peut prendre plusieurs formes mais qui reste toujours de l'argile. Il n'y a aucune raison de craindre d'aller ainsi au-delà, pas plus qu'il n'y a de raison de croire qu'il s'agit d'un état élevé ou avancé. Ce n'est ni l'un ni l'autre. La plupart des gens en ont eu un avant-goût au moins une fois ou deux durant leur vie: en tombant amoureux, en écoutant de la musique et en se sentant devenir cette musique, ou à la campagne lorsque les limites de l'espace soudain disparaissent, ou encore dans un moment de danger extrême où tout semble hors du temps et où pourtant tout arrive en même temps. C'est un instant de grand calme et de paix profonde. C'est l'instant où l'on va «au-delà». C'est aussi naturel que de rentrer chez soi.

CHAPITRE TROIS

L'importance de la pratique

Si tous les êtres sont Bouddha, pourquoi avons-nous besoin de méditer?

Dhyana, cette unité au-delà du sujet et de l'objet, est en effet toujours présente; dans le bouddhisme, on dit que nous sommes déjà éveillés. Non seulement tous les êtres humains mais aussi toutes les formes de vie sont pleinement Bouddha, et par-là même pleinement éveillés, totalement complets. C'est là une chose difficile à comprendre et qui ressemble à ces affirmations qui en disent tellement qu'elles ne disent rien. On se sent contraint de poser la question suivante: «Si nous sommes déjà éveillés, pourquoi nous faut-il méditer?» La seule réponse valable à cette question réside dans la méditation même; toute réponse exprimée verbalement se révélerait insatisfaisante. Ainsi, Dogen, l'un des plus grands maîtres zen japonais, s'était posé une question semblable. À l'âge de trois ans, Dogen perdit sa mère, et, lorsqu'il eut huit ans, il perdit aussi son père. Il ressentit très profondément la perte de ses parents. Plus tard, il devint moine bouddhiste et apprit que tous les êtres sont déjà éveillés, totalement illuminés. Se rappelant sa douleur, il demanda: «Pourquoi alors dois-je souffrir? Pourquoi tous les Bouddhas et les patriarches ont-ils tant souffert dans le passé?» C'est cette question même qui le plongea au plus profond de son être jusqu'à ce qu'il parvienne à la réponse qui était la sienne. Aucun des maîtres et enseignants qu'il avait rencontrés n'avait pu répondre à cette question.

Pourquoi nous faut-il méditer pour atteindre l'Éveil, puisque nous sommes déjà éveillés? Eh bien, une expérience toute simple pourrait vous mettre sur la bonne voie et vous permettre de constater pourquoi il vous faut méditer. Prenez une montre et observez l'aiguille des minutes durant deux minutes tout en *observant que vous observez* cette aiguille. Ne poursuivez votre lecture qu'après avoir fait cela.

Le courant de la conscience

Qu'avez-vous remarqué? Peu de gens réussissent à observer l'aiguille des minutes durant deux minutes. Après quelques secondes, la plupart se laissent transporter par leurs pensées et, au lieu d'observer l'aiguille, ils finissent par se demander: «À quoi ça rime? Qu'est-ce que je pourrais bien faire ce soir? Devrais-je continuer à regarder ma montre? À quoi ça sert?» et ainsi de suite. Bref, ils se perdent dans un flot de pensées. Cependant, il est important de remarquer que, durant les quelques secondes qui précèdent ce flot de pensées, l'esprit est clair; c'est ce moment de clarté qui en convainc plusieurs qu'il ne s'agit que d'une perte de temps et ils mettent alors fin à l'expérience. Ils disent que l'on peut toujours retrouver cet état de clarté quand on le veut. Bien sûr, cet instant de clarté nous indique que, d'une certaine manière, nous sommes déjà éveillés. Mais il peut aussi être trompeur et nous amener à croire que l'expérience est une perte de temps, et alors nous l'interrompons. C'est qu'il est tentant de se dire que, si l'on peut suspendre le cours de ses pensées durant un court moment, il est possible de le faire durant plusieurs minutes, voire plusieurs heures, si on le veut vraiment. Mais si on poursuit l'expérience, on constate que cet intermède de clarté est fuyant et difficile à retrouver et que nous sommes constamment assaillis par le flot de nos pensées. C'est cela qui doit nous convaincre qu'un certain travail intérieur est nécessaire. Ces pensées — sur lesquelles nous n'exerçons que si peu de contrôle et qui nous envahissent comme un essaim d'abeilles — font apparaître toute une vie d'émotions et de tension. Nous sommes assujettis à nos pensées, et souvent à un tel point que nous ne pouvons même pas rêver d'en être un jour libérés.[1]

Ce moment de clarté est cependant important parce qu'il montre, même si ce n'est que d'une manière vague, obscure et imparfaite, que le courant de notre pensée n'est pas tout. La clarté de conscience n'est pas une pensée et ne dépend pas d'une pensée. Au contraire, les pensées dépendent de la conscience, en sont en fait une forme. Les gens croient souvent qu'ils sont leurs pensées, et que, si elles s'arrêtaient, ils disparaîtraient de quelque façon. Mais ce n'est pas le cas: nous sommes ce dont les pensées sont faites; nous sommes conscience, conscience non réfléchie[1], connaissance sans forme, sans limites et intemporelle. L'illusion de nos limites provient de nos pensées. Celles-ci nous éloignent de la clarté, tout comme les nuages masquent le soleil même si celui-ci continue de briller. Durant toute la journée, les pensées traversent notre esprit, et durant toute la journée nous réagissons à ces pensées: inquiétude, colère, irritation, crainte, haine — nous réagissons constamment au mouvement de notre pensée.

La clarté n'est donc pas obscurcie uniquement par les images, les formes, les pensées et les jugements qui traversent notre esprit, mais aussi par nos réactions émotionnelles à leur égard. En outre, nous essayons toujours de comprendre toutes ces pensées et toutes ces émotions en tentant de les classer et de les ordonner. C'est un peu comme essayer de reconstituer un casse-tête dont il manque plusieurs pièces et dont les différents éléments changent de toute façon constamment de

1. Il est très important de comprendre que cette petite expérience n'est rien de plus qu'une expérience; ce n'est pas une *forme de pratique*. La conscience que nous *sommes* est au-delà de la conscience. Voir au chapitre six: «L'attention constante».

forme et de relation entre eux. Nous essayons alors d'imposer notre volonté à ces pièces et de leur donner de force des formes déterminées. Nous tentons de les combiner ou de les séparer par un effort de volonté, essayant délibérément de provoquer certaines choses et d'en empêcher d'autres de se produire. C'est cet effort de volonté qui divise les choses en «ceci» et «cela», en «moi» et «toi», etc. De plus, nous donnons à ce mélange comparable à un casse-tête le nom de conscience.

Les cinq skandhas

Notre vie intérieure a été appelée par les bouddhistes «océan amer de vie et de mort». Les mots «vie» et «mort» signifient ici le début et la fin, ou, pour mieux dire, la naissance et le trépas. On a déjà dépeint la vie comme étant une succession d'événements malheureux, en raison de l'amertume et même de la souffrance découlant de la naissance. Si souvent, semble-t-il, nous perdons l'équilibre et devons nous débattre pour retrouver notre aplomb. Dès que nous avons retrouvé notre équilibre, une autre vague nous emporte. Cet océan ne nous laisse aucun répit et il est constitué d'une alternance de calme et de hautes vagues successives. Et même dans les moments de calme plat, nous n'atteignons pas la quiétude. Cette agitation provient de nos émotions, de notre lutte et de nos efforts, de notre façon de saisir et de rejeter, de prendre et de laisser, et, bien sûr, de la nature même de notre conscience, qui, même lorsqu'elle est exempte de pensées et de sentiments, subit, comme les vagues sur le rivage, un flux et un reflux constants. Les formes, les sentiments, la pensée, la volonté et la conscience sont, selon les bouddhistes, les cinq skandhas ou les cinq enveloppes qui obscurcissent notre vraie nature. Lorsque nous méditons, la non-réalité de ces enveloppes est perçue. Par la suite, on se rend compte que même si ces enveloppes voilent la conscience claire, elles n'en constituent pas moins des moyens par lesquels celle-ci se manifeste. Alors la conscience claire elle-même est perçue. Cela ressemble aux formes d'un pot, d'un plat, d'une tasse ou d'une théière, qui sont autant de formes que revêt l'argile. Quand nous nous attardons aux formes et aux usages de ces objets, nous ne percevons plus l'argile; mais lorsque nous regardons l'argile, nous ne percevons plus les formes. Alors seulement nous est révélée la nature même de l'argile.

Le vide

On pourrait reprendre la métaphore du film pour montrer sous un autre angle ce que l'on entend par «percevoir la non-réalité des choses». Les images d'un film sont projetées sur un écran; elles possèdent une certaine opacité et une certaine solidité. Mais si une lumière était projetée derrière l'écran, cette opacité et cette solidité diminueraient. Le film continuerait comme avant, mais nous ne serions plus aussi totalement captivés. La conscience claire reflète fidèlement tout ce qui apparaît, et cette apparition possède, à son propre niveau, une solidité et une opacité que nous appelons la réalité. Cependant, la conscience peut être élevée et la réalité perd alors son caractère opaque et solide.

Cette perte d'«opacité» de la réalité nous permet de voir que les «choses» ne sont pas tout à fait ce qu'elles semblent être: elles ne sont pas tout simplement détachées et isolées les unes des autres, mais elles sont aussi, en même temps, interdépendantes avec toutes choses. Une chaise, par exemple, dépend du soleil ou d'une lampe pour sa couleur, de la gravité pour son poids, de l'air pour son odeur, et de tous les autres objets pour sa position dans l'espace et dans le temps, et ainsi de suite. Et si on poursuit l'analyse, on découvre, du point de vue de l'interdépendance des choses, que la chaise comme chose *en soi* disparaît; cela est encore plus manifeste si l'on se souvient que cet objet doit être regardé par quelqu'un pour être perçu.

La difficulté de méditer

Il n'est pas facile de percevoir le vide, qualité ombrageuse de l'expérience consciente. Même si nous pouvons à notre gré interrompre momentanément le cours de nos pensées, il est illusoire de croire que nous pouvons les contrôler. En effet, la première leçon tirée de la pratique méditative est que nous n'exerçons aucun contrôle sur nos pensées et que nous sommes entièrement à leur merci, que l'on se considère comme une personne tout à fait ordinaire ou bien comme quelqu'un d'important, brillant, créatif et déterminé. En fait, on peut dire que ceux qui se considèrent comme des gens ordinaires auront la tâche plus facile.

Certaines personnes qui viennent à la méditation croient que leurs pensées et leur peu de contrôle sur elles viennent de la méditation elle-même et elles s'en détournent rapidement. Toutefois, la méditation peut être comparée au fait d'éclairer un débarras. Ce n'est que lorsque la lumière est allumée, même faiblement, que l'on peut voir le désordre et la confusion qui règnent dans cette pièce. Bien sûr, la méditation est parfois difficile. Cela aussi ébranle certaines personnes, parce qu'on les a amenées à croire que la méditation devrait être une chose facile ne procurant que détente et satisfaction. Cependant, bien qu'à un niveau plus intime la méditation procure un sentiment de plénitude et de justesse, il n'en reste pas moins qu'en surface, là où se situe au départ l'attention chez la plupart d'entre nous, elle peut sembler aride, frustrante et exigeante. On ne doit donc pas se laisser décourager par cela; on ne doit pas croire, durant cette période difficile, que l'on a choisi la mauvaise voie, que l'on ne fait pas les choses correctement et qu'il faut se mettre en quête d'une autre voie, plus «intéressante».

Cette mauvaise perception de la méditation est due à la fois à une ancienne conception erronée du Zen, à une mauvaise compréhension de la méditation en général et à notre besoin inhérent d'emprunter la voie de la facilité. Pour clarifier tout cela, il serait bon de mieux comprendre les termes que nous employons, ce qui fera l'objet du chapitre suivant.

CHAPITRE QUATRE

Les éléments de la pratique

Le zazen

Comme nous l'avons dit plus haut, le mot «Zen» dérive d'un mot sanscrit, Dhyana, que l'on peut traduire par «au-delà du sujet et de l'objet» ou «samadhi». Nous avons dit également que ce terme pouvait être traduit librement par le mot «méditation», mais, comme nous le verrons, cette traduction peut poser certaines difficultés. Nous substituerons donc au terme «méditation» le mot japonais «zazen», pour lequel il n'existe aucun équivalent français («za» signifie «être assis» en japonais). Le zazen comporte trois aspects: la méditation, la contemplation et la concentration. Parlons d'abord de la concentration.

La concentration

Le mot «concentration» signifie «avec un centre» («con» [avec] + centre), et «se concentrer» veut dire mettre tout le contenu de l'expérience consciente en harmonie avec un centre commun. Cela requiert un effort intense que bien des gens ne peuvent fournir que durant une courte période de temps. Ce centre commun peut être à peu près n'importe quoi: un son répétitif, un mantra, une simple pensée ou même une douleur.

La concentration est précieuse parce qu'elle fait appel à une énergie naturelle, que l'on pourrait appeler l'énergie de l'unité. On lui donne aussi le nom de «pouvoir samadhi» ou, en japonais, «joriki». En anglais, les mots «guérison» (*hea-*

ling) et «entier» (*whole*) ont la même racine étymologique. Lorsque nous sommes étourdis et que notre esprit est fragmenté et dispersé, nous nous éloignons de l'intégralité et de la santé. La focalisation de l'esprit sur un seul point est une façon naturelle de guérir l'esprit et de recouvrer la santé mentale. Mais ce traitement requiert une énergie, ou joriki, et celle-ci est générée par la concentration.

En outre, à moins de pouvoir nous concentrer jusqu'à un certain point, nous sommes incapables de faire quoi que ce soit par nous-mêmes et c'est pourquoi nous dépendons de notre environnement pour nous stimuler par de nouveaux moyens afin de soutenir notre intérêt. Cela s'applique aussi au zazen. Nous pouvons, grâce au zazen, apprendre à nous concentrer, mais pour ce faire nous devons fournir une certaine quantité d'énergie et nous résigner à supporter un certain degré d'inconfort et même de douleur. L'action de se concentrer ressemble à certains égards au remboursement d'une hypothèque. Pendant un certain temps, nous remboursons uniquement les intérêts et nous ne touchons presque pas au capital. Notre dette s'est accrue à mesure que nous ne vivions pas en conformité avec le sentier octuple. À mesure que le temps passe, il nous est possible de rembourser une plus grande partie de cette dette, jusqu'à ce que nous en soyons complètement dégagés. Le remboursement des intérêts équivaudrait à triompher de l'agitation et de la distraction, tandis que le remboursement de la dette équivaudrait à une transformation soutenue de notre vie, laquelle s'opérerait d'abord aux niveaux les plus profonds de nous-mêmes.

Le recours à la douleur comme point de concentration est très important et, comme cette idée est nouvelle et peut-être dérangeante pour certains, nous allons nous y attarder quelque peu.

De tout temps, la douleur a été utilisée et infligée pour provoquer la concentration d'esprit. Les rites initiatiques, les voeux et les prières sont souvent accompagnés de souffrances, et cela en partie pour orienter l'esprit vers un point précis, ce qui, en retour, libère une grande quantité d'énergie mentale. Celle-ci peut par la suite être utilisée pour «fixer», si l'on peut dire, l'attention sur un point de concentration. Dans le bouddhisme zen et le bouddhisme tibétain, on considère la douleur comme une alliée et l'on applique parfois dans ce dernier des méthodes visant à provoquer la douleur. Les postures adoptées pour la pratique du zazen paraissent souvent douloureuses aux Occidentaux, et les adeptes seront à maintes reprises encouragés à «utiliser la douleur pour faciliter leur pratique». Cette libération d'énergie produite par la douleur peut être d'un grand secours pour d'autres aspects de la pratique. Et il n'y a pas que la douleur physique qui puisse être utilisée à cette fin; on peut aussi recourir à la douleur émotionnelle, comme l'angoisse qui est familière à tant de gens.

Plusieurs Occidentaux qui ne perçoivent pas la valeur d'un esprit clair, et qui de toute manière ne pourraient jamais envisager une utilisation positive et constructive de la douleur, y voient une forme de masochisme. Cependant, le masochisme est une jouissance de la douleur pour elle-même, alors qu'il est question ici de la transmutation de la douleur physique ou morale en énergie vitale. À mesure que l'on se concentre, la douleur s'atténue et on l'accepte mieux et d'une manière plus détendue; l'effort est donc de moins en moins nécessaire, et il peut en résulter un plus grand sentiment d'harmonie. Certains prétendent que l'énergie produite de cette façon peut être employée pour développer la perception extra-sensorielle. Bien que cela soit possible, il faut néanmoins faire preuve de beaucoup de scepticisme à l'égard de ces prétentions. Le bouddhisme n'en préconise pas le développement parce que le véritable épanouissement spirituel ne réside pas dans cette voie.

La méditation

Le mot «méditation» signifie «penser» ou «réfléchir». C'est une méthode de base employée dans toutes les religions, dont le bouddhisme. Durant les premières séances, la méditation peut être accompagnée de lectures. Ce type de lecture ne vise toutefois pas à l'acquisition de connaissances ou d'informations mais plutôt à stimuler l'intuition pour faciliter la compréhension de ce qui a été dit; c'est pourquoi les seuls écrits utiles à la méditation sont l'oeuvre de gens très évolués sur le plan spirituel. Toutes les religions ont leurs propres textes *sacrés* ainsi que des livres écrits par et sur des gens profondément illuminés ou très évolués sur le plan spirituel. La méditation consiste donc, dans ce contexte, en la lecture de phrases et de paragraphes de ces ouvrages, de même qu'en l'assimilation profonde de leur contenu. Cela a pour effet de briser la dure carapace de l'esprit et d'adoucir le coeur, permettant ainsi à notre grand besoin de plénitude totale de remonter plus aisément à la surface. Des précautions doivent évidemment être prises lorsque l'on fait de la méditation, afin de ne pas s'égarer. L'attendrissement du coeur est souvent accompagné d'un bien-être profond et d'un état de soulagement qui, s'ils sont recherchés pour eux-mêmes, peuvent facilement dégénérer en une douceur affadissante. Toutefois, après de très intenses périodes de concentration ou durant des moments difficiles d'aridité et de souffrance, de désorientation ou d'égarement extrême, la méditation peut s'avérer fort appréciable.

La contemplation

La contemplation[1] est la principale pratique du Zen. Ce

1. En langue sanscrite, le mot qui désigne cet état est «prajna» («pra»+«jna»). Le mot «jna» comporte certaines affinités avec le mot anglais «gnosis», qui signifie «connaître d'une façon directe». Le «jna» est la connaissance primordiale, une connaissance non réflexive. Le mot «pra» signifie «mis en éveil» ou «éveillé», éveillé à la connaissance de ce qui tout simplement est.

mot risque toutefois d'être mal compris et c'est pourquoi il nous faut d'abord préciser ce que n'est pas la contemplation avant de tenter d'en donner une définition positive. L'expression «se contempler le nombril» est parfois employée par ceux qui voudraient dénigrer la pratique du zazen. Elle implique un état d'esprit rêveur et absent produit par la passivité. Même un emploi plus indulgent de ce mot, comme «contempler la nature», suggère encore la passivité. Mais ce que nous entendons ici par «contemplation» *est* un état de passivité mais aussi, et en même temps, un état d'intense activité.

Il existe un mot japonais, «shikan-taza», que l'on peut traduire par «être tout simplement assis». Certains maîtres Zen prescrivent cette pratique à tous leurs élèves, qu'ils soient débutants ou pas. Cependant, le shikan-taza est pure contemplation et constitue pour la plupart des gens qui n'ont pas pratiqué durant plusieurs années un exercice beaucoup trop difficile. Bien souvent, les gens qui croient pratiquer le shikan-taza sont assis dans un état où ils sont simplement attentifs à leur propre conscience réflexive. Même si celle-ci peut n'être réfléchie par aucune chose en particulier, il s'agit là d'un exercice inutile et sans valeur réelle.

Bien qu'elle ait l'intensité de la concentration, la contemplation n'est pas de la concentration, parce qu'elle ne requiert pas de focalisation mentale vers un centre. Bien qu'elle ait l'aisance et la souplesse de la méditation, ce n'est pas non plus de la méditation, parce qu'elle est sans pensée. L'attention claire, la simple conscience sans réflexion, consiste à connaître sans qu'il y ait de sujet qui connaisse ni d'objet qui soit connu. En tant que telle, c'est un esprit en éveil qui ne s'appuie sur rien[2].

---

2. L'un des écrits les plus fameux de la secte zen, *Le Soûtra de diamant*, a pour thème principal «Mettez l'esprit en éveil sans l'appuyer sur rien».

Il faut cependant préciser que cet esprit éveillé ne se manifeste que par intermittence et n'est pas un état permanent. Hubert Benoît, un auteur français qui a écrit sur le bouddhisme zen, le décrit comme étant un *coup d'oeil intérieur*. Même si la contemplation nous dispose de façon continue à la conscience claire, celle-ci longtemps ne se manifeste que comme un éclair dans une nuit obscure.

Exprimé en quelques mots, cela peut sembler vague, aride et peut-être même inaccessible. C'est qu'il est difficile de décrire cette chose si intime et si présente en nous que nous la perdons de vue constamment; en outre, la véritable contemplation dépasse toute pensée, toute idée et tout mot, et, au mieux, nous ne pouvons qu'y faire vaguement allusion. Cependant, elle se révélera d'elle-même par une pratique fidèle et fervente du genre de celle qui est suggérée dans ce livre, timidement d'abord, puis délicatement, mais avec toujours plus d'éclat et de netteté.

Dhyana

Il ne faut pas faire l'erreur de croire que la concentration, la méditation et la contemplation sont des «facultés» distinctes parce que nous avons pu les aborder séparément. C'est plutôt que l'accent est mis sur un aspect ou l'autre d'une attitude fondamentale de foi. Ainsi, lorsque l'esprit est très agité, il lui faut avant tout de la concentration; lorsque se produit — ou même lorsqu'on désire que se produise — une intuition particulière, on doit plutôt recourir à la méditation; lorsque se manifestent des moments de clarté et d'harmonie, nous sommes dans la contemplation. Il ne faut toutefois pas se demander: «Devrais-je maintenant faire de la méditation ou de la contemplation?» La distinction doit être faite, puis oubliée.

La concentration, la méditation et la contemplation forment le dhyana, ou samadhi, qui fournit la base permettant d'atteindre le moment de satori («voir en dedans» en l'espace d'un éclair).

La pratique du Zen requiert la foi, le doute et une grande persévérance

La foi

Pour pratiquer le Zen, pour accomplir ce travail qui peut être long et ardu, il nous faut la foi. Il ne s'agit pas de la foi en l'accomplissement d'un miracle, en un dogme quelconque ou en ce que d'autres ont vu ou réalisé. Il s'agit plutôt de la foi que nous sommes effectivement capables de travailler avec la confusion et les souffrances de la vie, et, ce faisant, de les transcender. Pour plusieurs, la foi représente une sorte de marchandage: «J'aurai la foi si vous me promettez de me soustraire aux misères de l'existence.» La preuve est que bien des gens, lorsqu'ils subissent une épreuve, perdent la foi et se demandent: «À quoi bon avoir la foi si je dois encore endurer toutes ces épreuves?» Il faut bien dire que la foi ne met pas fin à toutes les misères de l'existence, mais qu'elle permet de les supporter, quelle qu'en soit la gravité. La *connaissance* est indestructible: la *foi* est cette indestructibilité en action. La foi en la possibilité de dépasser la confusion est la foi en cette connaissance indestructible, cette connaissance que chacun est essentiellement, jamais né ni mortel.

La foi est essentielle. Sans la foi, nous ne pourrions même pas bouger. Ceux qui pratiquent le zazen sans la foi le font de façon mécanique, un peu à la manière d'un marchand qui a quelque chose à acheter et de quoi pour le payer: «Je ferai deux heures de zazen si vous me donnez une journée de bien-être» ou «si vous éloignez la maladie» ou «si vous me rendez omniscient» ou encore «si vous me remplissez de joie et de paix», et ainsi de suite. Une conception aussi sèche et égoïste du zazen conduit inévitablement à un cul-de-sac. Le pratiquant qui n'a pas la foi restera toujours assis devant sa propre porte, attendant qu'on l'autorise à entrer. Il est amené à la pratique du zazen poussé par une force ou un exemple extérieurs. Bien souvent, les gens sont «emballés» par l'idée du Zen et se raccrochent ensuite à un maître ou à un centre, demandant à l'un, à l'autre ou aux deux qu'on leur porte secours, et lorsque, disent-ils, «rien ne se passe», ils blâment le maître et l'enseignement, les trouvant tous les deux fautifs.

On confond fréquemment la foi et la croyance. On peut croire aux idées, aux écrits ou aux paroles des autres. Lorsque nous croyons, nous sommes investis de notre foi et lui donnons une forme spécifique, mais, en même temps, nous la figeons. Si la foi peut être comparée à une épée étincelante qui transperce la confusion et l'incertitude, la croyance pourrait être assimilée à une épée au fourreau.

D'une certaine manière, on peut dire que tous ont la foi; même le catatonique tout recroquevillé dans son coin a la foi, une foi reposant sur la croyance que sa posture et son petit coin sombre le protégeront de cette douleur si vive. Se lever du lit, rencontrer des gens, marcher ou courir sont autant d'activités qui procèdent de la foi. Mais nos croyances, nos convictions et nos préjugés limitent, répriment et endiguent notre foi; c'est pourquoi nous finissons par dire que nous manquons de foi. Lorsque cela semble être le cas, nous devrions déverrouiller les portes de nos croyances, faire tomber la barrière de nos préjugés et franchir le mur de nos convictions. Méditer les paroles d'un grand maître qui nous inspire particulièrement peut alors nous être d'un grand secours. N'en lisez que quelques lignes, laissez-vous imprégner de leur sens puis laissez la signification de la vérité s'insinuer doucement en vous. Ne vous pressez pas. La méditation peut être comparée à l'arrosage d'un sol aride: beaucoup de temps doit s'écouler avant que les premières pousses vertes n'apparaissent.

Le doute

La foi, cependant, n'est pas suffisante; la grande foi doit être accompagnée du grand doute. Paradoxalement, seuls les gens qui ont une grande foi peuvent vraiment douter. Sans la foi, le doute ne fera que dégénérer en scepticisme. Le grand doute commence par le doute de soi et du fondement sur lequel repose tout notre être, ce qui consiste à douter de nos convictions les plus chères et des postulats qui nous semblent les plus évidents. Sans une foi profonde, cela peut être aussi difficile que dangereux. Le sceptique, quant à lui, doute de toutes les affirmations d'autrui; il est constamment sur la défensive, et ses doutes ne sont pas fondés. Le sceptique n'a pas une foi authentique.

Le grand doute n'est pas simplement un questionnement intellectuel, bien qu'il puisse en être issu. Il est plutôt une volonté de s'ouvrir aux doutes déjà existants. D'une certaine façon, nous vivons nos vies en essayant de boucher les trous dans les murs de préjugés et de convictions que nous avons bâtis autour de nous. Le monde et les autres, le plus souvent par inadvertance et sans malice, nous en dévoilent les failles, les incertitudes et les incohérences. Invariablement, la pensée est préoccupée par le colmatage de ces failles, la justification des incohérences et finalement la négation de nos incertitudes. Et c'est en cela que consiste presque toute l'agitation de notre esprit. Nous nous préoccupons de ce que les autres pensent de nous, de ce qu'ils vont ou ne vont pas faire, nous nous inquiétons de notre avenir. Nous craignons que des gens que nous connaissons ne se rencontrent et ne se révèlent mutuellement les secrets que nous leur avons confiés. La douleur que nous ressentons à la poitrine ou à la tête nous inquiète. L'avenir nous préoccupe, le passé nous trouble et le présent nous laisse en quelque sorte insatisfaits. C'est tout cela que nous nous efforçons d'éliminer en élevant ces murs.

Le grand doute consiste simplement à renoncer aux tentatives de colmater ces failles et à laisser ces murs s'effriter et s'écrouler. C'est aussi refuser de donner suite aux raisons qui s'offrent d'elles-mêmes comme un apaisement à la douleur infligée par les paroles ou les actes des autres. C'est aussi se rendre compte, sans blâmer les autres ou se réfugier dans la honte, que notre fureur à l'égard des critiques n'est rien d'autre qu'une façade. Le grand doute fait surgir la vérité que toutes nos souffrances ne nous sont infligées que par nous-mêmes, et nous révèle en même temps l'inutilité des efforts déployés pour éviter la souffrance et pour blâmer les autres. Le grand doute est pénible, mais plus nous le laisserons se manifester, plus notre grande foi rayonnera; et plus notre grande foi rayonnera, plus nous aurons d'audace pour entrouvrir la porte qui mène aux replis les plus secrets de notre coeur.

Nous n'avons rien à craindre. Tout ce qui surgit au cours de la pratique du zazen sera éliminé par le zazen. Pour pouvoir guérir, «notre mal doit s'aggraver», et, tout en étant le patient, nous sommes pour toujours le guérisseur.

La grande persévérance

Mais évidemment il nous faut, comme nous l'avons dit, persévérer. Si nous voulons nous perfectionner comme violoniste, coureur, artiste, chanteur, ou dans toute autre discipline, nous devons y consacrer beaucoup de temps et d'efforts. Nous devons traverser des périodes difficiles et d'autres plus agréables, des moments d'espoir et d'autres de désespoir. Il en va de même pour la pratique du zazen, qui est la perfection de ce qui est véritablement parfait. Il vaut mieux ne pas compter les efforts, ne pas se rappeler ce que l'on a accompli ou ce qui reste à accomplir. Il faut se concentrer sur ce qui doit être fait ici et maintenant. De plus, nous ne devons pas porter un jugement sur notre travail, car chaque amélioration fera grandir nos attentes. La grande persévérance consiste à poursuivre la pratique moment après moment, jour après jour et année après année; en fait, notre persévérance ne pourra être qualifiée de grande que lorsque nous percevrons notre vie tout entière comme une occasion de pratique, plutôt que d'essayer de trouver à celle-ci une place dans notre vie.

DEUXIÈME PARTIE

La pratique

CHAPITRE CINQ

Les différents aspects de la pratique

Le zazen ou la pratique en position assise

Nous allons maintenant examiner plus attentivement la façon de pratiquer le Zen. Il était nécessaire de nous attarder à la signification du zazen parce que, sans orientation, nous ne pouvons pas vraiment comprendre ce que nous devons faire. Car il est difficile de comprendre le «comment» sans avoir d'abord saisi le «pourquoi». Toutefois, une fois amorcée la démarche du «comment», le «pourquoi» perd de son importance. C'est qu'il n'est pas nécessaire de laisser en place l'échafaudage une fois que la maison est construite. Il est dit dans la pratique zen que l'on ne doit pas confondre la Lune avec le doigt qui pointe en direction de la Lune. Aucun enseignement théorique ne saurait remplacer ne serait-ce que quelques minutes de pratique.

La posture

Importance de la posture

En Occident, nous n'accordons pas beaucoup d'importance à la manière de nous asseoir pour étudier ou de nous agenouiller pour prier. La ferveur du coeur ou de l'esprit nous importe davantage. Cette attitude révèle un sentiment profond de dualité et la croyance que le corps est, au mieux, un fardeau, et, au pire, une entrave à l'envol de l'esprit ou de l'âme.

Toutefois, dans la pratique du Zen, c'est précisément la nature illusoire de cette dualité qui est perçue comme le principal obstacle, et, conséquemment, la position du corps y est aussi importante que l'état d'esprit ou l'affermissement du coeur. Bien que totalement différent, le corps n'est pas opposé à l'esprit. On pourrait faire une analogie grossière avec le marteau et le coup de marteau. Les deux sont évidemment différents, quoique aucunement distincts et opposés.

Dans le bouddhisme zen, on insiste toujours sur le fait qu'il faut s'asseoir d'une façon bien précise et adopter une posture correcte. Fait remarquable, mon professeur, maître Philip Kapleau, m'a enseigné la posture du zazen de la même façon que Dogen, un maître zen japonais, l'enseignait il y a huit siècles, et à cette époque cette tradition était déjà fort ancienne. J'insiste sur ce point parce qu'il est important de comprendre que l'enseignement de l'authentique bouddhisme zen n'est pas une chose nouvelle en voie d'expérimentation mais provient d'un enseignement fort ancien dont la valeur a été attestée par un nombre incalculable de gens.

Un dos droit et un centre de gravité bas

La posture consiste essentiellement en un dos droit et un centre de gravité bas (voir illustration 1). Par «dos droit» j'entends un dos supporté uniquement par la colonne vertébrale. Dans la figure 1, on peut voir au point (a) que la colonne vertébrale possède une courbe naturelle. Un dos droit est celui qui supporte dans cette courbe tout le poids du torse. Si les épaules ou la tête sont penchées vers l'avant, cette courbe ne pourra pas accomplir sa fonction de support (illustration 2). C'est pourquoi, une fois assis pour la pratique du zazen, il est important de relever le postérieur du coussin et de le pousser vers l'arrière (illustration 3). Cela aura pour effet de faire avancer le bassin.

On s'assoit sur un coussin précisément pour mettre à contribution cette courbe. Si vous vous assoyez directement sur le sol, sans coussin, il vous sera pratiquement impossible

FIGURE 1

On peut voir au point (a)
que
la colonne vertébrale
possède
une courbe naturelle.

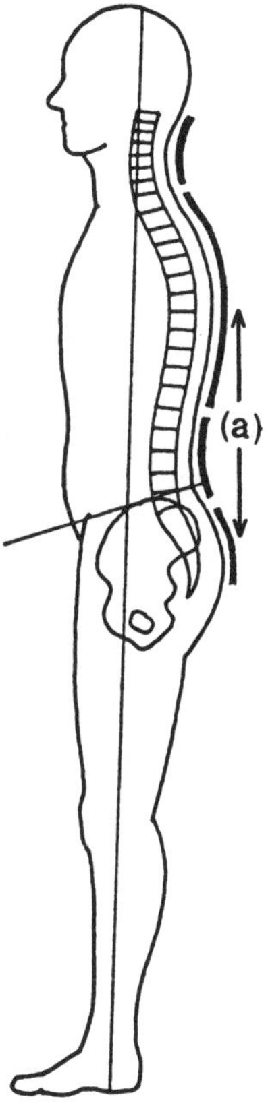

(a)

ILLUSTRATION 1

La posture consiste
essentiellement en un dos droit
et un centre
de gravité bas.

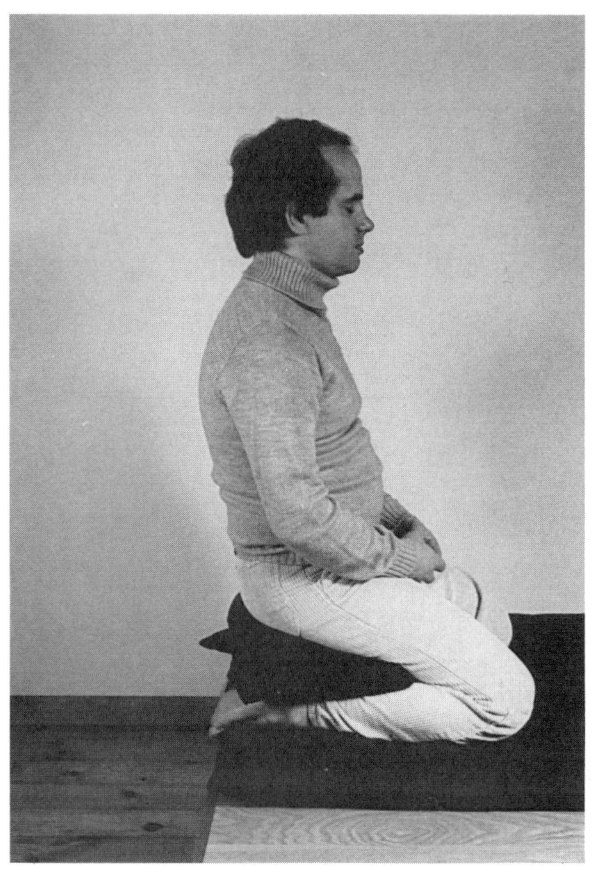

ILLUSTRATION 2

Si les épaules ou la tête
sont penchées
vers l'avant, la courbe naturelle
de la colonne ne pourra pas accomplir
sa fonction de support.

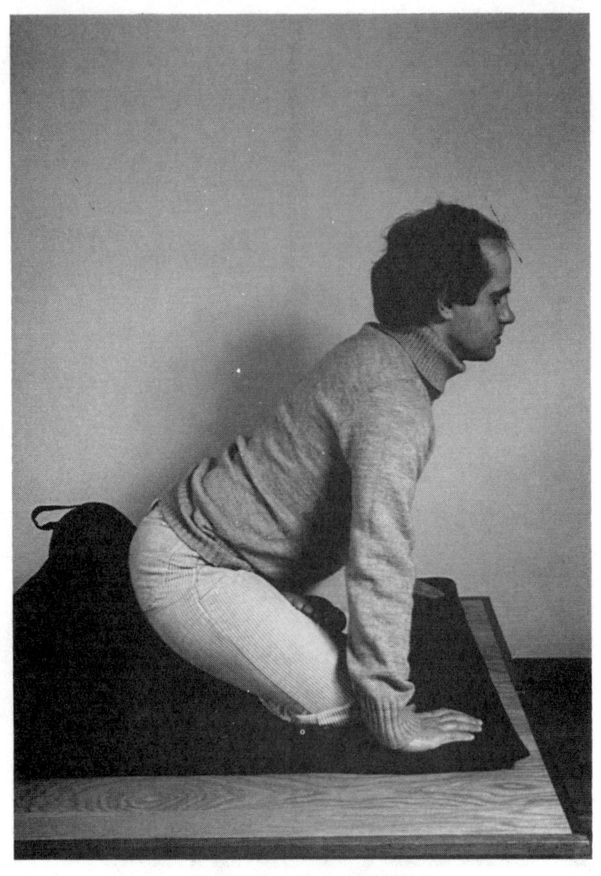

ILLUSTRATION 3

Un coussin ferme permet
d'avoir le dos
droit, mieux que si l'on est assis
directement sur le sol.

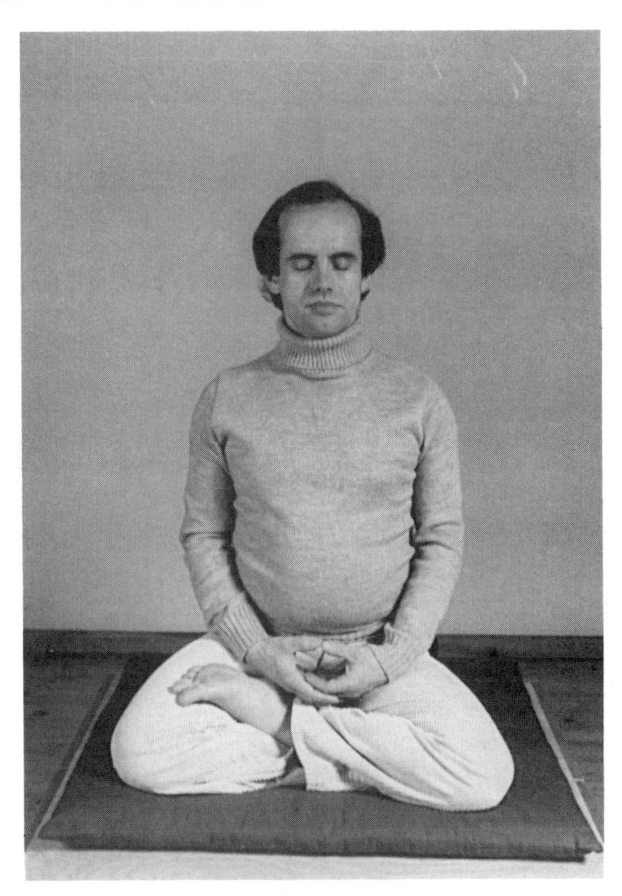

ILLUSTRATION 4

La position du demi-lotus,
que la plupart
des Occidentaux préfèrent
à la position
complète du lotus.

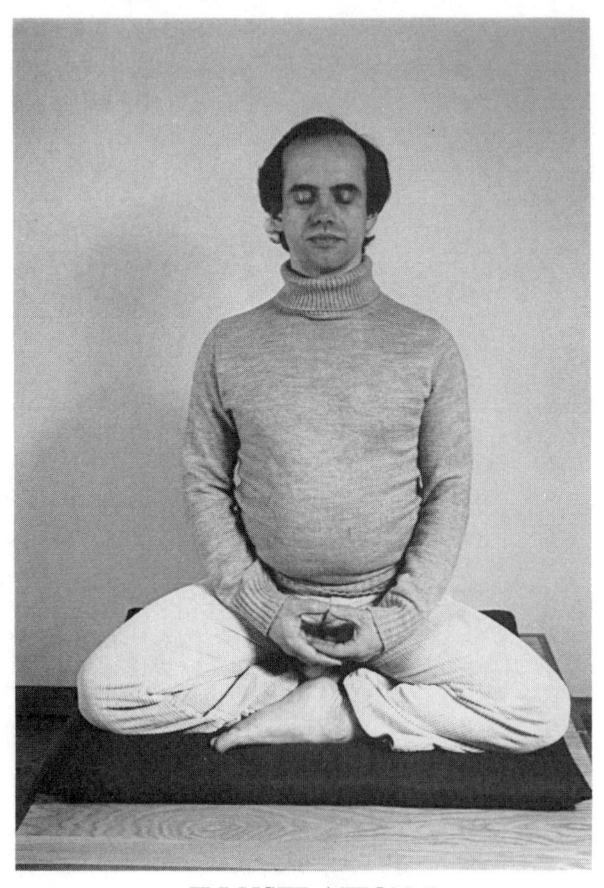

ILLUSTRATION 5

La position "Burmese",
une variante
de la position du
demi-lotus.

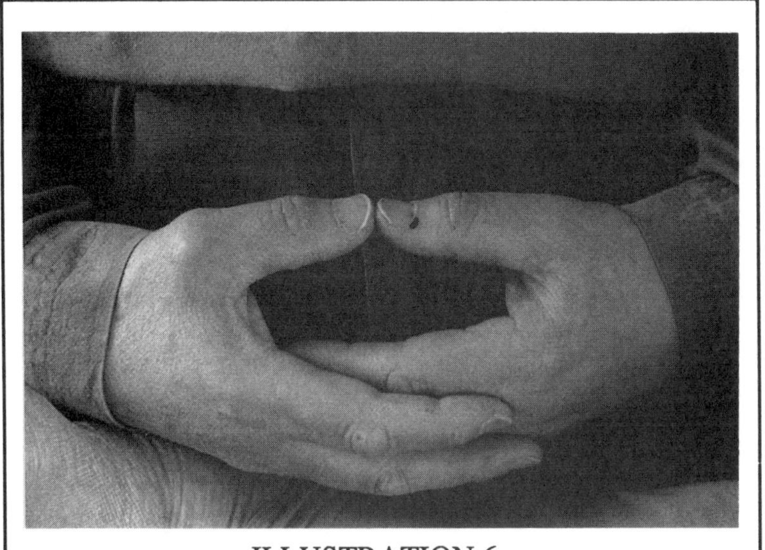

ILLUSTRATION 6

Les mains doivent être
vivantes,
ce qui se réflète
dans la façon de les tenir.

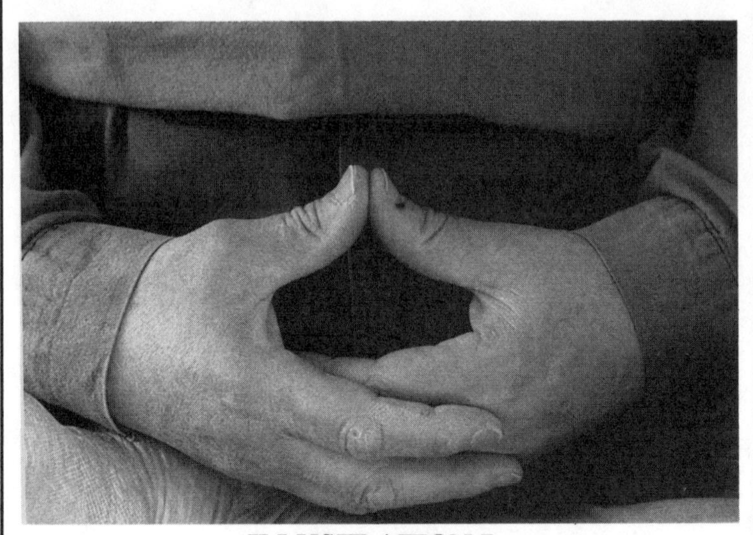

ILLUSTRATION 7

Si les pouces se rejoignent
pour former
un clocher, c'est que
la posture
est trop raide.

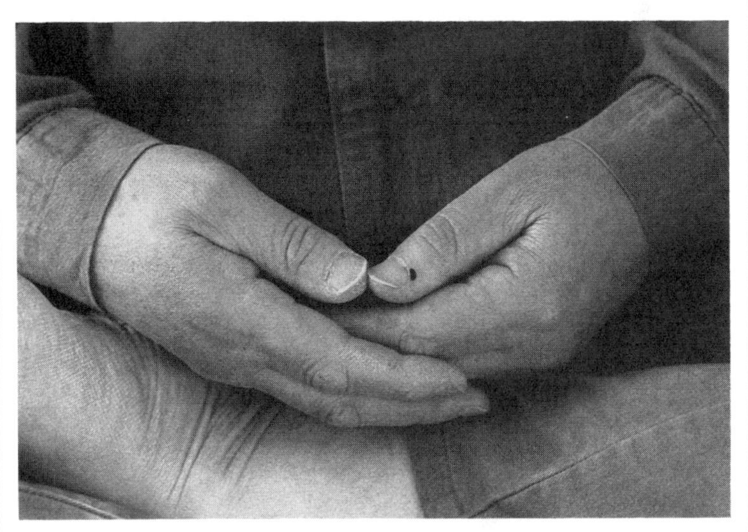

ILLUSTRATION 8

Si les pouces retombent de
chaque côté,
c'est que la posture est
trop relâchée.

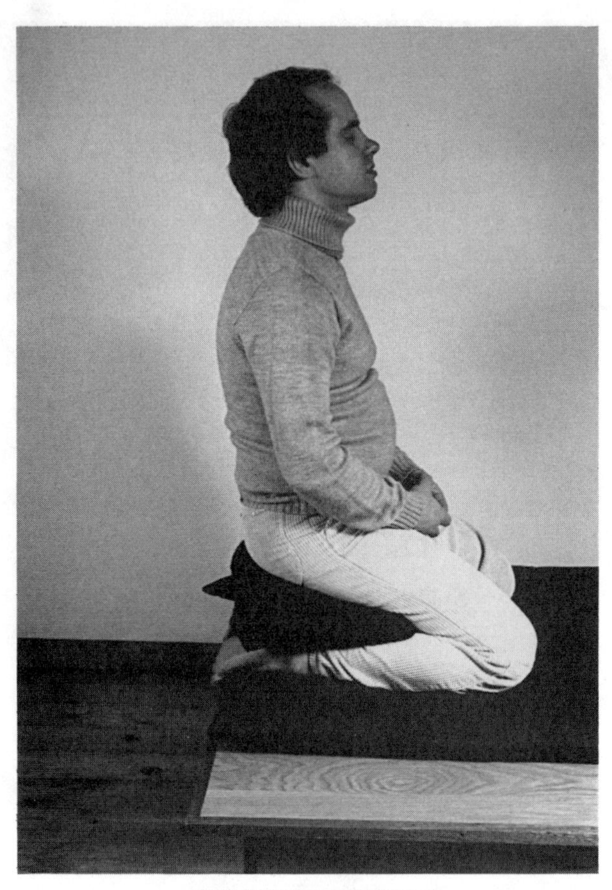

ILLUSTRATION 9

Incliner la tête vers
l'arrière
indique une attitude
de faiblesse.

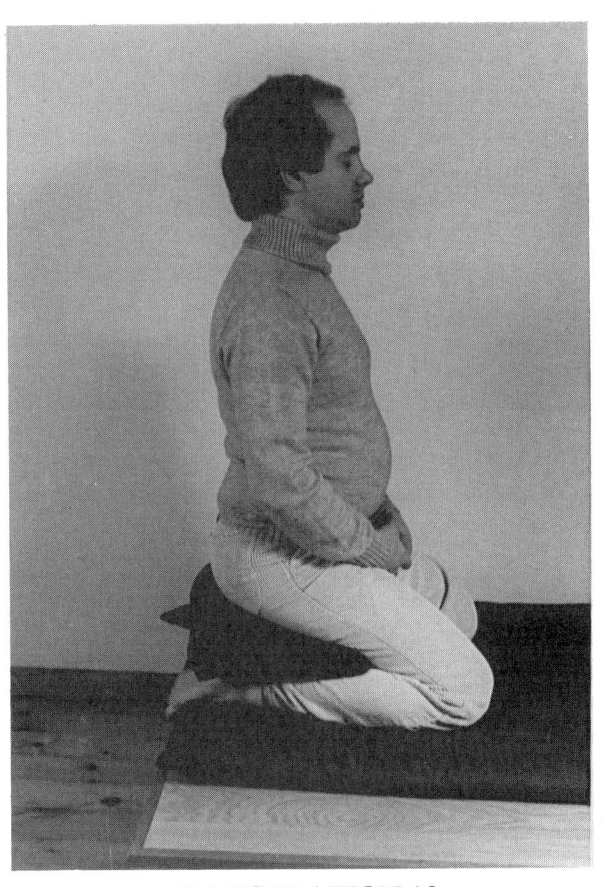

ILLUSTRATION 10

La position à genoux.
Placez
un coussin dur entre
vos pied,
directement
sous la colonne.

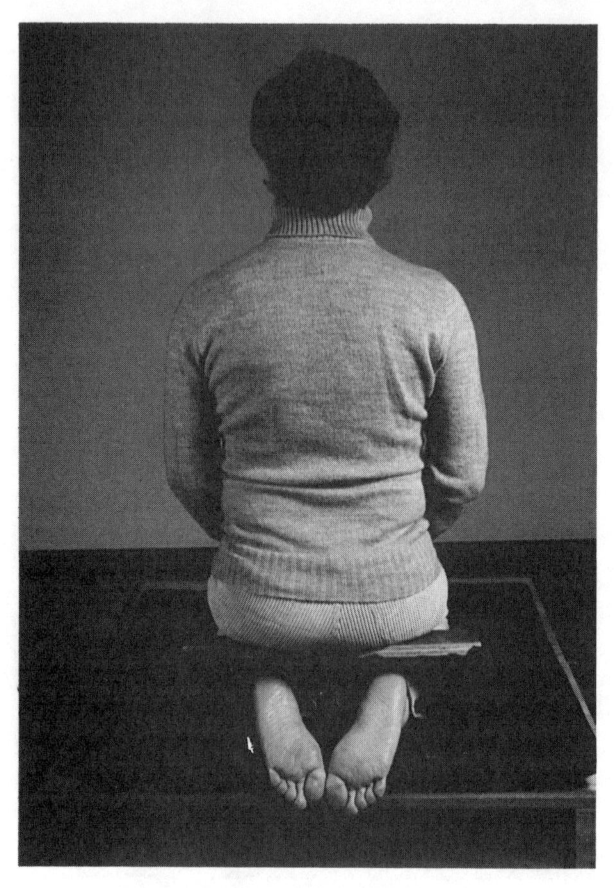

ILLUSTRATION 11

On peut également
s'asseoir
sur un petit banc,
dans la
position agenouillée.

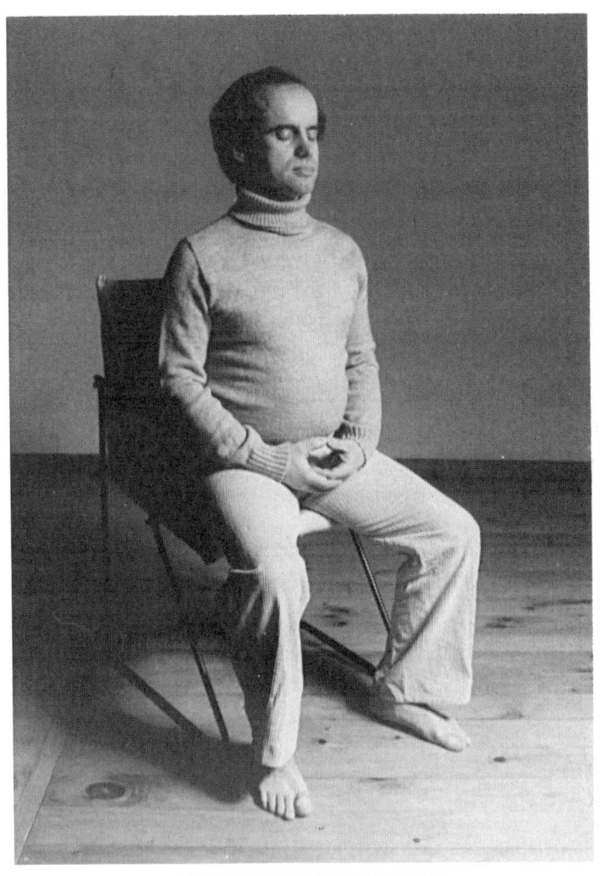

ILLUSTRATION 12

Si toutes les autres positions
sont inconfortables,
vous pouvez vous asseoir
sur une chaise.

d'avoir le dos droit, même si vous êtes capable d'adopter la position du lotus. Pour fournir un support qui soit adéquat, le coussin doit être ferme, rempli de préférence de kapok[1] plutôt que de plumes ou de caoutchouc mousse.

Un centre de gravité bas est le point de convergence naturel de toutes les forces agissantes du corps. Appelé «tanden» en japonais, ce point se situe à environ cinq centimètres sous le nombril. Toutefois, on s'accorde plus généralement à le situer dans la région du «hara». Comme il s'agit là d'un point très important, nous nous attarderons plus loin au «hara», lorsque nous serons en mesure de l'aborder plus globalement. Pour l'instant, contentons-nous de dire qu'un dos droit favorisera le développement naturel d'un centre de gravité bas, lequel sera à son tour d'une aide précieuse pour poursuivre la pratique et maintenir une bonne posture.

On devrait insister sur le mot «naturel». À première vue, s'asseoir au sol sur un coussin, les jambes croisées, peut sembler très peu naturel. Cela est dû cependant à l'éducation et au conditionnement que nous subissons en Occident. Lorsqu'on a maîtrisé cette posture, il devient assez évident que c'est s'asseoir sur une chaise — particulièrement s'y affaler — qui n'est pas naturel.

La position du lotus

Continuons notre description de la posture. Les jambes doivent être croisées, le pied gauche posé sur la cuisse droite et le pied droit sur la cuisse gauche (voir illustration 1). Si cela est fait correctement, les genoux reposeront assez solidement sur le sol. Les deux genoux et le postérieur formeront un trépied qui supportera naturellement le corps. C'est ce qu'on appelle la position complète du lotus. La plupart des Occidentaux trouvent toutefois cette position trop difficile, et *on ne doit sous aucun prétexte se forcer à l'adopter*. Il en résulterait inutilement toutes sortes de problèmes. Certaines

1. Fibre végétale très légère constituée de poils fins. (N.d.T.)

personnes adoptent plutôt la position du demi-lotus, qui consiste à placer le pied gauche sur la cuisse droite et le talon droit sous la jambe gauche, touchant ou presque l'entrejambe (voir illustration 4). Ou on peut adopter la position «Burmese» (voir illustration 5).

Les mains et la tête

Les mains doivent être placées dans une position bien précise: sur la paume de la main droite, qui est à plat, on pose le dos de la main gauche. Les pouces doivent à peine se toucher — ils ne se touchent pas vraiment mais ne sont pas non plus vraiment séparés. Cette recommandation sur le contact des pouces est importante. Dans la pratique zazen, les mains doivent être éminemment vivantes (6), ce qui doit se refléter dans la façon de les tenir. Si les pouces se rejoignent pour former un clocher, c'est que la posture est trop raide, trop tendue (7). Si, par contre, ils retombent de chaque côté, c'est qu'elle est trop relâchée (8).

La position de la tête est également importante, car pencher la tête vers l'avant dénoterait une attitude de défaite (voir illustration 2) tandis que l'incliner vers l'arrière en serait une de faiblesse (voir illustration 9). Pour s'assurer que la tête est en position correcte, il faut regarder tout droit devant soi et viser un point qui indique que la position est bonne. Il serait bon que vous demandiez à quelqu'un, de préférence quelqu'un de compétent en la matière, de placer votre tête afin que vous puissiez ressentir la sensation que procure cette position. Lorsque la tête est en position correcte, vous devez baisser légèrement les paupières, mais sans fermer les yeux ni fixer un point précis. Il est important de garder les yeux ouverts, parce qu'en les fermant on indiquerait que c'est l'«intérieur» qui nous importe le plus et que l'on peut par conséquent ignorer l'«extérieur». Cette attitude ramène et renforce le dualisme latent. Il faut également éviter de fixer, pour ne pas se fatiguer les yeux et pour éviter l'effet visuel désagréable causé parfois par la fixité du regard.

La position à genoux

Certaines personnes trouvent trop difficile la position du demi-lotus; on leur recommande alors d'essayer l'une des positions à genoux. Les adeptes des arts martiaux utilisent une position à genoux pour la pratique du aïkido, du karaté et du kendo, notamment, mais sans se servir du coussin comme nous le faisons dans la pratique du Zen. Cette posture est essentiellement la suivante: il faut être agenouillé, assis sur ses talons. Les genoux doivent être à une distance de deux poings l'un de l'autre, et les pieds à environ un poing. Placez un coussin dur entre vos pieds, *directement sous la colonne* (voir illustration 10). Utilisez de préférence un coussin de cosses, celles-ci étant plus fermes que le kapok; évitez les coussins de plumes ou de caoutchouc mousse. S'il vous est impossible d'obtenir un coussin de cosses, utilisez une couverture roulée solidement. Sur le coussin ou la couverture, placez un autre petit coussin plat de kapok, sur lequel vous vous assoirez. La hauteur combinée de ces deux coussins devrait être telle que vous serez assis légèrement plus haut que vos pieds. Votre sang pourra ainsi circuler librement. La position de la tête, des mains et de la colonne est la même que pour la position du lotus. Remarquez la position des pieds. En permettant aux pieds de déborder légèrement de la natte[2], on respecte le contour naturel du pied, et la posture n'en est que plus confortable.

Assis sur une chaise

Si vous avez de la difficulté à adopter la position à genoux, vous pouvez fabriquer ou faire fabriquer un petit banc sur lequel on peut s'asseoir dans la position agenouillée de façon à ce que les jambes ou les pieds ne supportent aucun poids (voir illustration 11). Si cette position est également inconfortable, vous pouvez alors vous asseoir sur une chaise (voir illustration 12). Dans ce cas, prêtez attention aux points

2. Voir ci-après la section portant sur la natte utilisée pour la pratique du zazen. (*N.d.T.*)

suivants: la chaise doit être d'une hauteur telle qu'elle permet aux cuisses d'être horizontales et aux pieds de reposer fermement sur le sol. Elle doit être bien solide et bien droite; les chaises pliantes ne sont donc pas recommandées. Il faut s'asseoir droit et ne pas s'appuyer sur le dossier. Si l'on souffre de troubles du dos, on peut glisser un coussin entre le bas du dos et le dossier de la chaise. Les genoux doivent être séparés, les pieds placés à un angle de «dix heures dix minutes» et les mains posées sur les cuisses.

La natte

Dans un centre de Zen, l'endroit où l'on s'assoit est habituellement recouvert d'une natte de coton ouaté recouverte de coton, mesurant environ 80 cm sur 80 cm. Cette natte protège les jambes et les genoux. Il n'est pas recommandé de s'asseoir directement sur le sol. À défaut de natte, on pourra utiliser un petit tapis mou, une couverture pliée ou un sac de couchage.

La mise en posture

Prenez tout votre temps pour vous asseoir: il faut être bien confortable. La période durant laquelle on est assis dure généralement de vingt à quarante minutes; vous devez donc être aussi confortable que possible. Une fois la posture adoptée, balancez-vous légèrement sur le coussin, de gauche à droite et d'avant en arrière, pour être sûr d'être assis bien droit. Après avoir pratiqué un certain temps, vous n'aurez aucune difficulté à reconnaître la posture juste. Au début de la séance, prenez une respiration profonde ou, si vous préférez, soupirez profondément. Pour redresser la partie supérieure de la colonne vertébrale, il faut légèrement rentrer le menton; pour ce faire, au lieu de ramener délibérément le menton vers la poitrine, ce qui causerait de la tension, il faut faire comme si l'on voulait que le dessus de notre tête touche le plafond.

Pour conclure sur la posture

Il faut insister sur le fait que la posture, bien que très importante, n'est rien d'autre qu'une aide. En d'autres termes, il ne faut pas se raccrocher à une posture qu'il nous est difficile d'adopter. *Ce qui importe le plus est d'avoir un dos bien droit et un centre de gravité bas.*

La pratique

Pratique de la respiration

Après avoir trouvé et adopté la posture qui vous convient le mieux, vous voilà prêt à commencer la pratique du zazen, qui consiste tout simplement à compter les respirations: un pour la première inspiration, deux pour l'expiration, trois pour l'inspiration suivante, quatre pour l'expiration, et ainsi de suite jusqu'à dix. À dix, recommencez à un et refaites la même séquence. Lorsque vous serez habitué à compter les inspirations et les expirations, ne comptez plus que les expirations.

On pourrait croire que cet exercice est aussi facile qu'en est simple la description. Or il n'en est rien, et il serait bon de connaître les fondements de cette pratique.

L'attention

La base de la pratique bouddhiste est l'*attention.* Il est souhaitable d'être attentif en tout temps. Par «être attentif», on veut dire agir, parler et penser avec un esprit clair; avoir une conscience claire, ce qui signifie renoncer aux tentatives de colmater les failles. Nous en avons déjà parlé, mais récapitulons et reprenons ce point pour bien comprendre ce qu'il signifie dans la pratique.

La plupart des gens, si on leur demandait qui ils sont, répondraient qu'ils sont un «corps», ou peut-être une «âme» ou même un «esprit». Si on insistait, il deviendrait vite évident que cette question les accule au pied du mur. D'une part, ils sont tellement sûrs de savoir qui ils sont ou ce qu'ils sont, et d'autre part, la définition qu'ils donnent d'eux-mêmes leur vient peut-être de lectures ou de croyances généralement acceptées de tous. Faites-en vous-même la preuve en essayant simplement de répondre à la question suivante: «Qui (ou que) suis-je?» «Ce que je suis» est un mystère, une vérité que je peux connaître mais à laquelle je ne peux donner aucune forme ou expression, quoique je m'efforce constamment de le faire[3]. L'attention claire est la libération de ce besoin de trouver une forme.

Suivre et compter ses respirations

La pratique consiste donc en l'attention. La pratique la plus profonde de toutes est celle du «shikan-taza»: simplement être assis, simplement connaître. Cette pratique est cependant difficile, car, comme nous l'avons expérimenté avec la montre, il est difficile de se concentrer durant toute une minute sans être distrait par toutes sortes de pensées ou d'idées. Pour nous aider, les maîtres nous ont donc recommandé de suivre notre respiration, de la *contempler*. Chaque inspiration est unique, tout comme l'est chaque expiration, et aucun intervalle ne les sépare: elles forment une seule et même respiration. Pour cela, il est nécessaire de suivre l'expiration jusqu'au bout, jusqu'à ce qu'on ne puisse plus distinguer l'inspiration de l'expiration. Il faut ensuite faire de même pour l'inspiration. Il ne faut pas se laisser prendre par la physiologie de la respiration, penser par exemple à l'air qui entre par les narines, descend dans les poumons et ainsi de suite. Il vaut mieux respirer par les genoux ou les coudes, la plante des pieds ou la paume des mains. En d'autres termes, sentez-

3. On pourrait montrer que la recherche de signification de Victor Frankl, celle d'identité d'Erik Eriksen, celle d'individualisation de Jung, la volonté de pouvoir de Nietzsche, la quête du Saint-Graal, Shambhala, la Terre promise et le Paradis ont tous pour base ce besoin vital d'attribuer une forme à ce qui n'en a pas. Pour en savoir davantage, consulter *Iron Cow of Zen.*

vous totalement engagé dans l'action de respirer. Et souvenez-vous que cette pratique de la respiration n'est qu'une aide; il n'y a là ni magie ni mystique.

Si toutefois vous n'avez jamais pratiqué le Zen, il est préférable de compter vos respirations durant les trois premiers mois de pratique. Pour ce faire, comptez un à l'expiration, deux à l'inspiration, trois à l'expiration et ainsi de suite jusqu'à dix, puis reprenez à un. Le comptage doit coïncider avec la respiration; autrement dit, pendant toute la durée de l'expiration, vous devez compter «un», et pendant toute la durée de l'inspiration, vous devez compter «deux», et ainsi de suite. Si vous accordez toute votre attention à cette pratique, les pensées disparaîtront sans que vous ayez à intervenir. Il est important de ne pas interrompre volontairement le mouvement des pensées. Cela ne donnera rien. Après quelque temps, votre esprit se mettra à vagabonder. Ne vous fâchez pas contre vous-même. Reprenez plutôt à un, tout simplement. Le «succès» n'est pas d'atteindre dix, mais de poursuivre patiemment, inlassablement, la pratique. Ne visualisez surtout pas les chiffres. *La réponse au vagabondage de l'esprit est sa mise en éveil.*

Ajoutons un petit mot d'avertissement: ne vous assoyez pas en ayant à l'esprit l'*idée* de suivre votre respiration. Même si, au début, il est difficile de faire autrement, il faut comprendre que notre pratique nous appelle à franchir la barrière des idées.

Pratique de la posture et de la respiration

Une bonne posture peut aider à suivre et à compter les respirations. Lorsque le dos est droit et le centre de gravité bas, le corps est supporté par la colonne vertébrale. Les muscles de la partie supérieure du corps peuvent alors être passablement décontractés — plus particulièrement les muscles du cou et des épaules. Notre attention est ainsi libérée des tensions qui autrement se manifestent ici et là dans le corps. En outre, cela libère passablement le diaphragme, et on peut donc utiliser les muscles stomacaux pour respirer plus lentement et plus profondément. Il semble qu'en général une personne respire de douze à quatorze fois par minute. Pour un pratiquant expérimenté du Zen, cette fréquence serait essoufflante. De huit à dix fois par minute suffisent lorsqu'on est capable d'utiliser les muscles de l'estomac et de la poitrine. Au cours d'une pratique très intense de zazen, durant une retraite, par exemple, on peut ne respirer qu'une seule fois par minute, et même moins. Les effets bénéfiques de la respiration profonde sont multiples. La respiration thoracique est surtout une respiration de secours. Pour s'en rendre compte, on n'a qu'à songer à la poitrine palpitante de quelqu'un qui est en colère, qui a de la peine ou qui est surexcité. Respirer continuellement avec cette respiration de secours témoigne d'un état anormal de crispation et de tension. En se servant simplement de l'estomac pour respirer, on ressent une baisse de tension, un calme et une sérénité jusqu'alors inconnus. De plus, on utilise davantage les poumons, permettant ainsi à l'organisme de s'ajuster aux plus ou moins grands besoins en oxygène. Tout le métabolisme peut ainsi répondre plus adéquatement aux besoins du moment et le corps n'en est que plus sain à un niveau fondamental. Mentionnons enfin qu'un grand nombre d'études ont été menées sur les effets physiologiques positifs d'une respiration plus lente et plus profonde[4].

Un mot d'avertissement

Cette pratique consiste à *suivre* la respiration et non à la contrôler ou à la diriger. On doit maintenir un équilibre très subtil entre l'oxygène et le CO_2 pour que l'organisme fonctionne bien. Il existe une sagesse profonde du corps; c'est cette même sagesse qui préside à son évolution, à sa naissance, à sa croissance et à son développement, et qui lui permet de vaincre la maladie. C'est cette sagesse qui guérit le corps lorsqu'il est blessé, et c'est à elle que font appel ceux

4. Voir, entre autres, *Science and Evolution of Consciousness* par le Dr Hiroshi Motoyama et Rande Brown, Autumn Press, 1978.

qui guérissent par la foi. C'est aussi cette sagesse qui maintient l'équilibre de la respiration. Il vaut mieux ne pas essayer de modifier délibérément le rythme respiratoire, de respirer plus lentement ou plus profondément. Le corps a ses raisons de respirer plus ou moins lentement, ou plus ou moins profondément. La pratique du zazen consiste non pas à modifier ce rythme mais plutôt à s'y ajuster, à y être sensible et à le laisser se manifester.

Le seul fait de porter attention à sa respiration en change le rythme. Ce phénomène n'a toutefois aucune importance car il est temporaire: il cesse dès qu'on est habitué à la pratique. Ce qui n'est vraiment pas recommandé comme pratique, c'est de délibérément respirer lentement ou profondément, ou de retenir sa respiration, d'essayer d'utiliser l'abdomen pour respirer, et ainsi de suite. Après tout, comme nous l'avons dit, la pratique est l'attention claire à ce qui est, quelle qu'en soit la nature; cette attention lucide ne peut guère être maintenue si notre esprit est occupé à penser à la façon de respirer.

Cet exercice qui consiste à suivre et à compter les respirations doit être effectué dans la position du zazen et non en marchant. Nous y reviendrons plus loin, mais mentionnons toutefois que le besoin qu'a notre corps d'apporter de légères modifications à la respiration a plus de chances de se faire sentir lorsque nous sommes en mouvement que lorsque nous sommes assis, et plus nous sommes actifs, plus il y a de chances que le fait de suivre et de compter les respirations nuise à la respiration.

Le hara

Avec une bonne posture et une respiration dégagée, on peut développer le hara; c'est dans la région du hara que naissent nos actions. Le mot «hara» est un mot japonais qui signifie «ventre» et qui est généralement inconnu en Occident. Il est toutefois intéressant de noter que cette région du bassin est appelée la région *sacrée*, à cause du sacrum, qui est la partie de la colonne vertébrale attenante au bassin. Le mot «sacrum» veut dire «sacré», ce qui laisse entendre que cette région a déjà eu une signification particulière. En Occident, certains professeurs encouragent les danseurs de ballet et les chanteurs à faire débuter leurs mouvements dans la région du hara. En Orient, on y attache beaucoup plus d'importance, notamment dans l'entraînement aux arts martiaux. Le hara constitue toute la région pelvienne et comprend un point particulier appelé «tanden», qui est situé à environ cinq centimètres sous le nombril.

Le tanden n'est pas un chakra ou l'un des centres sacrés du Raja Yoga. C'est le point vers lequel converge naturellement toute l'énergie du corps, lorsqu'on laisse celui-ci fonctionner d'une façon entièrement naturelle. Ce fonctionnement naturel n'est pas seulement physique mais aussi psychologique, et il n'a lieu en fait que lorsqu'on renonce à considérer l'esprit et le corps comme deux réalités distinctes et séparées. Agir naturellement, c'est agir sans faire cette distinction artificielle entre le corps et l'esprit; sans cette croyance, par exemple, que l'esprit doit contrôler ou discipliner le corps, ou que le corps est une espèce de prison ou de contenant pour l'esprit. Lorsqu'on agit naturellement, l'énergie psychophysique (appelée en japonais «joriki» ou «ki» comme dans le mot «aïkido») se concentre dans le hara sans effort. Cela produit en retour une concentration qui ne requiert pas d'effort et qui a lieu parce que tous les conflits et tensions locaux sont libérés au profit de la vitalité et du pouvoir du joriki.

Insistons encore une fois sur le mot «naturel». On ne peut développer le hara en forçant notre attention sur cette région. Ce serait contraire à l'esprit du hara, qui, comme on l'a vu, renferme la source de toute initiative. S'efforcer d'atteindre le hara signifierait que la source de l'initiative se situe dans la tête ou dans la poitrine. En outre, même si le développement du hara et de l'énergie psychophysique qui lui est associée (ou l'énergie de concentration) peut être d'une aide précieuse, tant pour la pratique du Zen que pour les activités quotidiennes, il est important de ne pas en faire une fin en soi car cela aussi peut devenir une source de distraction. Le seul développement du hara ne suffit cependant pas pour atteindre l'Éveil.

Le demi-sourire

Il y a un autre aspect du zazen sur lequel il nous faut insister: le demi-sourire. En observant attentivement une bonne représentation de Bouddha ou d'un Bodhisattva, vous remarquerez que ses lèvres tendent à sourire. L'expression «tendent à» est employée à dessein parce qu'on ne peut pas vraiment dire que ce visage sourit. Il y a une anecdote concernant la vie et l'enseignement de Bouddha qui revêt une signification particulière pour le Zen et est étroitement liée à ce qui est dit ici. D'après la tradition, Bouddha fut un jour appelé à prononcer un discours devant un important rassemblement de moines et de laïcs. Tous avaient très hâte de l'entendre parler parce qu'il était connu pour sa grande éloquence et son esprit incisif. Toutefois, au lieu de prononcer un long discours, Bouddha éleva tout simplement une fleur. Tous les moines, sauf un, furent décontenancés par ce geste et ne savaient plus quoi dire ou quoi faire. Seul Mahakyasapa, un grand disciple de Bouddha, sourit. Voyant cela, Bouddha proclama qu'il venait de transmettre l'enseignement à Mahakyasapa.

Cette histoire présente un intérêt particulier pour le Zen et on dit même qu'elle donna naissance à cette tradition. Cette histoire est pleinement en accord avec l'interprétation fondamentale du Zen, selon laquelle la vérité ne peut être exprimée par des pensées, des images ou des mots. La vérité est beaucoup plus immédiate: on peut dire que les oiseaux vivent dans les airs, les poissons dans l'eau, et l'homme dans la *vérité*. On pourrait donc dire que Mahakyasapa a vu la vérité d'une manière directe lorsque Bouddha a montré cette fleur à l'assemblée.

Mais ce qui nous importe ici, c'est qu'en voyant la vérité Mahakyasapa a souri et qu'il ne souriait pas à Bouddha ni à lui-même. Lorsque nous sommes entièrement pris par une situation, nous avons tendance à sourire. Quand, par exemple, nous sommes avec des amis ou que nous écoutons une musique qui nous pénètre totalement, ou que nous apprenons une bonne nouvelle, ou que nous découvrons une nouvelle vérité, nous sommes plus susceptibles d'être entièrement pris par cette situation et moins susceptibles de vouloir l'éviter ou nous en écarter. Ce sentiment s'accompagne de la tendance à sourire.

Si nous nous assoyons et laissons nos lèvres s'étirer légèrement aux commissures pour suggérer un sourire, nous constaterons bien souvent une diminution de tension et un accroissement de bien-être. Il arrive parfois que la seule sensation de sourire ou d'esquisser un léger sourire suffise à dissiper nos idées noires ou même un léger sentiment d'amertume.

La marche zazen

Au Centre Zen de Montréal, nous nous assoyons durant des périodes de trente-cinq minutes, après quoi nous pratiquons la marche zazen, ou kinhin. Dans l'expression «marche zazen», le mot «zazen» est injustement employé puisque «za» signifie «être assis». Toutefois, le mot «zazen» est devenu en Occident un terme générique désignant toutes sortes de pratiques spirituelles, et c'est ainsi que l'expression «marche zazen» a acquis ses lettres de noblesse. Dans certains pays, la marche zazen constitue la pratique de base. Ainsi, dans certains monastères du Sri Lanka, elle constitue la pratique principale, alors que le zazen en position assise n'occupe qu'une place secondaire. Il y a aussi une différence dans la façon dont le Soto et le Rinzai, les deux écoles japonaises de Zen, pratiquent le kinhin. Dans le Soto, on ne marche qu'à petits pas, à peine la longueur d'un pied, en se déplaçant très lentement autour du zendo, tandis que dans le Rinzai on marque d'un pas beaucoup plus vigoureux. Quant à moi, on m'a enseigné à marcher d'un pas normal, les yeux baissés.

La pratique du kinhin peut être très utile aux personnes tendues et nerveuses, qui ne supportent pas les longues séances en position assise, de même qu'aux personnes qui ont du mal à rester éveillées. Elle est aussi utile au pratiquant pour qui le zazen en position assise ne présente pas de difficultés, puisqu'il est beaucoup plus difficile de rester pleinement vigilant en marchant que de pratiquer le zazen immobile.

Comme nous l'avons mentionné plus haut, la position assise n'a pas de vertu en soi. Ceux qui ont de la difficulté à adopter l'une ou l'autre des positions du lotus ne sont donc pas de ce fait désavantagés. Si seule la position assise était vertueuse, alors, comme l'a déjà souligné un maître zen, toutes les grenouilles de la terre connaîtraient l'Éveil. Mais il se trouve que la plupart des gens pratiquent plus efficacement le zazen dans les positions suggérées. Cependant, lorsque ces postures s'avèrent inefficaces, il faut trouver des solutions de rechange, et le kinhin peut très bien en être une.

La posture

Pour le kinhin comme pour le zazen, il est important de tenir sa tête bien droite et de ne pas la laisser retomber. Les mains doivent être dans la position suivante: le pouce de la main droite doit être replié dans la paume avec les doigts refermés autour de lui de façon à former un poing, que l'on place sur la poitrine; on place alors la main gauche sur le dessus de la main droite et on doit laisser les coudes trouver la position qui leur est la plus naturellement confortable. Une fois habitué à cette posture, on la préférera de loin à celle qui consiste à mettre les mains sur l'estomac ou à les laisser pendre de chaque côté. C'est là une posture qui exprime la dignité et l'équilibre. On doit cependant s'y habituer pour en venir à l'adopter inconsciemment. Habituellement, cette position doit être gardée durant environ cinq ou dix minutes, après quoi on passe à une autre séance en position assise.

Si l'un des avantages du kinhin est de reposer les jambes et de libérer les diverses tensions accumulées durant les longues séances en position assise, son principal intérêt est qu'il donne l'occasion de pratiquer le zazen en mouvement.

Les aspects techniques du zazen

Face au mur

Il est préférable de s'asseoir face à un mur plutôt que de regarder la pièce, particulièrement si on pratique le zazen en groupe. C'est qu'un mur est moins susceptible de nous distraire qu'une pièce remplie de livres, de meubles ou d'autres objets. Il faut s'asseoir en gardant ses genoux à une distance d'environ 30 à 45 centimètres d'un mur, à la surface unie, si possible. L'éclairage de la pièce ne doit être ni trop cru, pour éviter que le mur ne renvoie la lumière, ni trop sombre, pour ne pas que le pratiquant soit porté à s'endormir. Pour cette même raison, il vaut mieux que la pièce soit plutôt fraîche. Une pièce trop chaude provoquerait un état d'assoupissement, et comme bien des gens, particulièrement les débutants, doivent déjà lutter contre le sommeil, il est préférable de ne pas favoriser la somnolence.

Cette tendance à la somnolence résulte souvent d'une sorte de résistance à l'agitation; il s'agit en fait d'une forme de réaction excessive à celle-ci. Ce peut être aussi une résistance à des idées ou à des souvenirs désagréables qui semblent se frayer un passage jusqu'à la conscience. Cette somnolence peut aussi être causée par la simple fatigue. Mais même lorsqu'on est très fatigué, il est possible de faire une bonne séance de zazen.

Le kyosaku

Dans un centre de Zen, les séances en position assise sont dirigées par un moniteur ou une monitrice. Son rôle consiste, entre autres, à faire en sorte qu'il ne survienne aucun incident fâcheux, de façon à ce que les pratiquants soient libérés de toute contrainte concernant leur environnement. Ainsi, si les lampes s'éteignaient, si un visiteur arrivait à l'improviste ou si l'un des participants avait un problème particulier, il reviendrait au moniteur de s'en occuper.

Cependant, si le moniteur est expérimenté et bien formé, sa tâche consistera en outre à établir et à maintenir une atmosphère dynamique. Pour ce faire, il recourra, entre autres, au kyosaku, sorte de longue férule de fabrication spéciale, plate à l'une de ses extrémités. Le moniteur applique le kyosaku sur les deux muscles situés sur les épaules, de chaque côté du cou. Cette pratique aide non seulement à surmonter le sommeil mais aussi à éliminer la tension qui a tendance à s'accumuler dans les épaules et dans le cou durant la pratique du zazen.

Certaines personnes mettent en question l'utilisation du kyosaku. Elles demandent: «Pourquoi faut-il s'en servir? Cette pratique n'entre-t-elle pas en contradiction avec l'atmosphère du zazen et l'esprit de non-violence du bouddhisme?» Cette objection vient souvent de gens qui confondent le zazen et les techniques de détente. On ne pratique pas le Zen pour se détendre mais plutôt pour découvrir un état fondamental de calme et de tranquillité. Se détendre signifie essayer d'éliminer la tension; le mot «essayer» est ici employé à dessein parce que, face à la tension, c'est souvent tout ce qu'on peut faire. C'est un peu comme masquer une odeur désagréable à l'aide d'un parfum suave, ce qui est bien jusqu'à ce que les deux odeurs se confondent pour en former une qui est plus désagréable encore. L'expression «essayer de se détendre» renferme une contradiction. Pour trouver notre état naturel de tranquillité et de détente, il nous faut au préalable nous débarrasser de notre tension.

La tension fait souvent surface lors de la pratique du Zen et elle se loge le plus fréquemment dans la région des épaules et du cou. Comme nous l'avons dit, le kyosaku contribue à dissiper cette tension, au même titre qu'un massage, ainsi qu'à aider le pratiquant à lutter contre la somnolence. Cette aide s'avère particulièrement nécessaire durant les pratiques assises ayant lieu le soir ou durant les longues retraites. Une autre raison de l'emploi du kyosaku est qu'il arrive souvent qu'une quelconque pensée se fixe dans l'esprit, par exemple la pensée, réelle ou imaginaire, que quelqu'un nous a fait du mal. Le choc soudain du kyosaku nous libère habituellement de ces pensées. Enfin, et plus important encore, le kyosaku, lorsqu'il est entre les mains d'un moniteur compétent et compatissant, peut faire émerger une énergie profonde et latente pouvant être utile à la pratique.

Dans un centre où l'on prétend s'inscrire dans la plus pure tradition zen, on utilise le kyosaku en respectant des règles de prudence bien définies. En premier lieu, il n'est utilisé que par des personnes spécialement choisies et formées, et il s'agit normalement de gens qui pratiquent le Zen depuis fort longtemps. En outre, un rituel de salutation est accompli avant et après chaque utilisation du kyosaku, ce qui contribue à maintenir l'attention ou la vigilance de la personne qui l'emploie. Dans un tel centre, on n'utilise jamais le kyosaku pour exprimer la colère ou l'irritation, et son emploi n'a non plus aucune connotation de punition ou de reproche.

TROISIÈME PARTIE

Le Zen dans la vie quotidienne et dans un centre de Zen

CHAPITRE SIX

Le Zen dans la vie quotidienne

Le zazen comme fin et comme moyen

Le besoin d'une pratique vivante et énergique devient évident une fois qu'on a constaté que, dans la pratique du Zen, le zazen constitue à la fois un moyen et une fin. La posture assise avec les mains dans la position appropriée, la tête redressée, les paupières baissées, l'esprit en éveil mais ne s'appuyant sur rien, voilà l'expression parfaite de l'unité qui sous-tend tout, qui se manifeste comme le tout. Le zazen est cependant aussi un moyen, et c'est cet aspect qui retient pour l'instant notre attention.

La pratique du Zen nous montre le chemin de la conscience pure, une conscience toujours présente, même durant le sommeil. Nous sommes normalement plongés dans les activités quotidiennes et nous nous identifions totalement avec ce qui nous arrive. Nous recherchons activement cette identification parce que nous croyons, à tort, qu'en étant totalement pris par la vie nous atteindrons l'unité ou l'harmonie. L'identification, croyons-nous, est un moyen de nous libérer des conflits et du sentiment d'éloignement et de séparation qui nous accablent tant. Lorsque nous nous identifions à quelque chose, nous obtenons en effet une certaine forme de soulagement. C'est ce mécanisme qui est à la base de l'ergomanie, par exemple. Sous la pression du travail, surtout s'il est à la fois intéressant et exigeant, tous les autres problèmes

— tels l'effondrement d'un mariage, les difficultés financières, les ennuis de santé — sont camouflés. L'angoisse plus profonde d'une vie dépourvue de sens et empreinte de confusion se transforme aussi en un désir d'accomplir des choses, de rivaliser avec les autres et de les surpasser. L'unité qui en résulte est cependant illusoire; loin de résoudre nos conflits, nous les enfouissons sous un flot d'énergie, d'enthousiasme et d'effort. Bien souvent cet effort même agit comme un irritant, créant d'autres conflits et aggravant ceux qui existent déjà. Cela nécessite un nouvel effort, une nouvelle dépense d'énergie, et il en résulte une rupture encore plus profonde; on finit par avoir l'impression d'être attelé à un manège.

L'attention constante

Il est dit dans le Zen que l'esprit doit être en éveil mais sans s'appuyer sur rien. Un autre mot pour désigner cet état d'esprit est le mot «attention». Après avoir pratiqué le Zen en position assise, il devient possible d'être attentif pendant la journée. Grâce à cette attention, on peut amorcer une transformation de sa vie à un niveau très profond.

Malheureusement, beaucoup de gens se méprennent sur la signification du mot «attention», croyant qu'il s'agit d'une sorte d'auto-observation. Pour eux, l'attention consiste à tenter de fusionner l'action et la conscience: ils essaient de devenir plus conscients de leurs actions. Par exemple, lorsqu'ils lavent la vaisselle, ils essaient de devenir plus conscients du fait qu'ils lavent la vaisselle, plus conscients du mouvement de leurs mains, et ainsi de suite. Cette auto-observation est cependant tout à fait contraire au développement de l'attention claire, de la simple conscience. C'est une forme de conscience de quelque chose d'«extérieur» à la conscience[1],

1. Le mot «extérieur» est entre guillemets parce que l'objet de la conscience peut aussi être *la conscience elle-même*, comme lorsque l'on est conscient d'être conscient.

de quelque chose de séparé. Cela ne fait qu'aggraver notre condition. Tout comme l'identification, elle peut créer une impression d'unité, mais finalement elle ne fera qu'accroître notre sentiment de séparation. Ce sentiment accru de séparation peut amener un sentiment de désespoir, voire de panique, et une fois de plus s'instaure un cercle vicieux où le désespoir engendre une anxiété profonde; on tente alors d'éliminer la peur en en «prenant conscience», en l'«observant», et il en résulte une plus grande séparation, source initiale du désespoir. Un maître tibétain a dit que tenter de combiner la conscience et l'action équivalait à essayer de mélanger de l'huile à de l'eau.

Ce problème survient parce que les gens essaient de participer *activement* au développement de cette conscience. La chose est impossible puisque, comme nous l'avons dit, cette conscience constitue la base de tout, y compris toutes les actions. C'est un peu comme si on tentait de sortir de sa propre peau. On devrait plutôt remarquer qu'à certains moments de la journée nous remontons à la surface, pour ainsi dire, et sommes moins submergés, moins endormis. Si nous consentons à ces moments, sans nécessairement tenter de les prolonger, ils deviendront de plus en plus fréquents. Par contre, il y a des moments où nous essayons de nous soustraire aux situations et à nous-mêmes. Ce sont les moments de souffrance et d'humiliation. Si, au lieu d'y résister, nous restons calmes et tranquilles en même temps que vigilants, nous constaterons qu'il y a des moments d'émergence même durant les expériences les plus sombres.

Pour pouvoir *consentir à ces moments de conscience*, il importe d'avoir pleinement accepté la première vérité de Bouddha, à savoir que la souffrance constitue le fondement de la vie, que nous ne pouvons lui échapper, et que tout ce que nous pouvons faire c'est souffrir soit volontairement, soit involontairement. Consentir aux moments de conscience même quand on est dans la joie est une façon de souffrir volontairement. Cela peut sembler paradoxal jusqu'à ce qu'on songe que même la joie est transitoire et qu'elle peut souvent, par le fait même, rappeler d'une manière très poignante le caractère éphémère de toute chose.

L'attention n'est donc pas une action mais une attitude fondamentale basée sur une vérité; cette attitude est rendue possible par la foi en notre capacité réelle d'Éveil, la conviction que le demi-sommeil n'est pas notre vraie nature; la vérité est que nous sommes déjà éveillés, que la conscience pure est notre état naturel. Grâce à cette foi, un nouveau cycle s'instaure parce qu'elle rend possible à son tour ces moments de consentement, lesquels renforcent notre foi, tandis que la vérité fondamentale rayonne avec encore plus de force. On n'insistera cependant jamais assez sur le fait qu'il y a une différence essentielle entre la foi en l'Éveil et les efforts que l'on déploie pour la susciter.

Croyances erronées

Changer d'environnement

Nous croyons souvent, à tort, que le travail intérieur de l'Éveil pourrait être plus aisé et plus efficace si nous abandonnions notre mode de vie et allions vivre ailleurs. Nous nous justifions en disant que notre environnement actuel ne nous apporte que confusion, souffrance et distraction. Si, croyons-nous, il était possible de trouver un endroit tranquille qui soit moins en conflit avec notre besoin fondamental d'Éveil, nous pourrions alors travailler plus fort et obtenir de meilleurs résultats. Cette façon de voir les choses comporte deux erreurs. La première est de croire que ce que nous recherchons dans la pratique du Zen est un apaisement de l'esprit. La seconde est de croire que la confusion que nous ressentons vient du monde plutôt que de notre attitude à son égard.

Les difficultés que nous éprouvons et la confusion qui nous entoure se sont accumulées à cause de ce que nous sommes. Si nous sommes entourés d'ennemis, c'est parce que nous avons *besoin* d'ennemis; si nous sommes criblés de dettes, c'est parce que nous avons *besoin* de dettes, et ainsi de suite. Cela peut sembler étrange mais il en est ainsi. Un ennemi est une personne sur qui nous avons projeté nos propres émotions négatives. Un ennemi est à la limite un bouc émissaire sur lequel un individu ou un groupe projette sa peine pour ainsi obtenir quelque soulagement. Si nous souffrons beaucoup, nous avons besoin de beaucoup d'ennemis. Si nous souffrons peu, même ceux qui nous font du mal en nous insultant, en nous blâmant ou en nous condamnant ne sont pas perçus comme des ennemis.

Si nous avons des besoins démesurés qui ne peuvent être satisfaits par les seuls fruits de notre travail, nous empruntons et contractons donc des dettes. Notre problème n'est pas tant d'avoir des dettes ou des créanciers qui insistent d'une façon désagréable pour que nous les remboursions, que d'avoir de tels besoins. Fuir nos créanciers et nos dettes ne nous serait d'aucun secours puisque nous apporterions avec nous ces besoins, qui s'enracineraient dans notre nouvel environnement, sous une forme ou sous une autre.

Certaines personnes sont dépendantes des autres; elles veulent que les autres les supportent et les aident à prendre des décisions. Cette dépendance s'accompagne d'un profond ressentiment à l'égard de ces mêmes gens, qui, croient-elles, veulent les manipuler et les dominer. Encore une fois, il serait inutile de fuir son environnement, croyant qu'ailleurs on jouirait d'une plus grande liberté, qu'on subirait moins de contraintes de la part des autres et que l'on se sentirait moins coupable de ne pouvoir répondre à leurs attentes.

On pourrait illustrer par d'innombrables exemples le fait que nous sommes les propres artisans de notre agitation et de notre souffrance, qui découlent en fait de nos besoins. En outre, ces besoins entrent souvent en conflit les uns avec les autres, de sorte que la satisfaction de l'un entraîne la négation de l'autre. Par exemple, l'un de nos besoins les plus fondamentaux est celui d'être unique, d'être le centre d'attraction — on pourrait dire que le jeu fondamental de l'univers est: «Regardez-moi.» Un autre besoin tout aussi fondamental est celui d'appartenir à un groupe, de s'engager pour une cause: se fondre dans un ensemble. Ces deux besoins entrent souvent en conflit, et l'un doit être sacrifié au profit de l'autre. Nous blâmons alors notre environnement, le destin, nous accusons la vie d'être injuste à notre égard.

Ce serait alors une erreur de se soustraire à une situation pénible et troublante sous prétexte qu'ainsi on pourra travailler plus efficacement à son Éveil et méditer avec plus d'intensité. La situation troublante que nous vivons a mis des années à se développer. Si nous allons vivre dans un autre endroit, il n'y aura d'abord aucun problème ni aucune confusion, nos besoins ne s'y étant pas encore enracinés. Durant un certain temps, nous aurons un sentiment illusoire de bien-être, mais après quelque temps, que ce soit des mois ou des années, nous nous retrouverons dans le même état de confusion, la même situation, et, en regard du travail intérieur à accomplir, tous ces mois et ces années auront été perdus.

Cela ne signifie pas qu'il faille se résigner aux situations pénibles et affligeantes, comme un mauvais mariage, par exemple. Cela signifie plutôt qu'il ne faut pas partir sous prétexte que cela serait bénéfique à notre pratique, les difficultés que nous éprouvons faisant obstacle à celle-ci. En fait, il est très probable que les problèmes que nous connaissons soient ceux qui puissent nous en apprendre le plus.

Se changer soi-même

C'est une autre erreur de croire que si nous ne devons pas changer notre relation avec le monde extérieur, nous devons par contre nous changer nous-mêmes. Certains sont convaincus qu'ils sont des gens désagréables, soit trop agressifs, soit trop timides. D'autres se sentent coupables de fautes qu'ils ont commises dans le passé et croient qu'il leur faut les racheter en se changeant. D'autres encore considèrent qu'ils doivent surmonter leur paresse. Tous ces gens ont le sentiment qu'il y a quelque chose qui ne va pas et qui doit être changé, et que c'est en se débarrassant de certains traits de caractère qu'ils y parviendront — comme si on pouvait tout simplement les arracher et les jeter au vent — ou en faisant exactement le contraire de ce qu'ils ont fait pendant des années. Cette conception erronée est renforcée par ceux qui sont toujours prêts à pointer du doigt les défauts des autres et à leur dire ce qu'ils doivent faire pour les corriger. Dans le milieu industriel et commercial, plusieurs entreprises encouragent maintenant les gestionnaires à discuter des défauts des employés avec ceux-ci, à leur dire ce qui ne va pas sur le plan de leur personnalité et ce qu'il faut faire pour y remédier. On a alors cette situation cocasse où un employé voit ses défauts relevés par son supérieur qui vient de subir exactement le même traitement de la part de son propre supérieur, et ainsi de suite jusqu'au sommet de la hiérarchie. Plusieurs relèveront sans doute chez leurs subalternes les défauts qu'on leur a reprochés à eux-mêmes, et le feront même en des termes identiques. Ce «Je vais te dire ce qui ne va pas pour que tu puisses te corriger» revêt un caractère endémique dans notre société qui, fortement orientée vers l'utilisation de machines, est imprégnée du mythe de l'interchangeabilité des pièces, pour autant que celles-ci soient standards et «normales»; en retour, cela donne naissance au mythe de l'interchangeabilité des éléments du comportement et à sa standardisation.

L'idée que nous pouvons nous décider à changer pour le mieux en nous débarrassant de certains traits de caractère est contestable. Plusieurs psychothérapeutes compétents s'interrogent d'ailleurs sur la définition de la réussite thérapeutique, y voyant quelque chose de plus subtil que la simple «guérison» d'un trouble quelconque chez quelqu'un. Cela ne veut pas dire que nous ne pouvons pas nous améliorer, mais tout simplement que nous ne pouvons peut-être pas choisir à l'avance les aspects de notre personnalité que nous considérons indésirables, pour ensuite les changer. La personnalité est comparable à un paysage où se profilent des collines et des vallées, des marais et des prairies, des marécages et des jardins. Le changement d'un seul élément implique une modification de l'ensemble, tous les éléments étant interdépendants. L'esprit forme un tout écologique. Utilisons une autre métaphore afin de souligner un autre aspect de ce qui est expliqué ici. Chacun de nous possède une lumière, laquelle projette une ombre qui lui est propre. Pour supprimer cette ombre, il nous faut éteindre la lumière. Il y a beaucoup de gens dans notre entourage qui sont toujours prêts à nous dire ce qui ne va pas. Ils sont parfois bien intentionnés, mais, la plupart du temps, ils le font parce que leurs relations avec nous leur sont pénibles et que la seule échappatoire à *leur* souffrance est de *nous* amener à changer.

Cela peut bien sûr paraître pessimiste, mais, comme nous l'avons mentionné plus haut, le pessimisme n'est pas de regarder en face des vérités désagréables, mais de s'attarder au désagréable au détriment de la vérité. Si nous ne pouvons pas nous améliorer volontairement, nous sommes alors libérés du fardeau accablant de *devoir* nous changer. Ainsi, par exemple, s'il n'y a pas autour de nous de démons malveillants, il est inutile de perdre notre temps, nos efforts et nos ressources à vouloir les apaiser.

Certains objecteront que ces propos ne peuvent mener les gens qu'à une attitude irresponsable, chacun ne tenant pas compte de l'effet qu'il produit sur les autres. C'est là une objection importante, qui ne peut être rejetée d'emblée et qui, hélas, soulève trop de questions pour être traitée dans un manuel d'introduction. Soulignons toutefois que cette objection implique que notre morale de même que notre souci d'autrui viennent simplement de ce que nous avons été conditionnés par le mythe que nous pouvons nous changer. Mais le sens de la responsabilité, la morale et le souci d'autrui ne viennent peut-être pas de ce mythe mais plutôt de cette vérité que nous ne formons qu'Un et que cette Unité constitue la base de toute existence. Si cela est vrai, nous ne pouvons nous empêcher de nous améliorer, parce que nous exprimons tous l'Unité. Le problème vient du fait que nous essayons de donner à cette Unité une forme spécifique; nous nous efforçons d'être bons, aimants et vertueux, et, au lieu de trouver cette Unité, nous en trouvons une forme qui s'oppose à toutes les autres formes, qui nous sépare des autres et nous divise irrévocablement. Nous perdons ainsi contact avec ce que nous sommes et nous devenons détachés et confus. Le gouverneur d'une province de l'ancienne Chine se rendait un jour à un temple pour y faire une retraite. Alors qu'il s'apprêtait à partir, un maître zen lui demanda: «Comment allez-vous gouverner votre peuple? — Avec sagesse et compassion, répondit le gouverneur. — Alors, rétorqua le maître, tous souffriront sans exception!»

Est-ce à dire que nous sommes enfermés pour toujours dans la prison de notre personnalité? Pas du tout. La base même de la pratique bouddhiste est la libération, mais la libération de la tyrannie du «bien» et du «mal», du «vrai» et du «faux», du «populaire» et de l'«impopulaire», de l'«agréable» et du «désagréable», ces mêmes antithèses qui ont donné lieu à tant de guerres. Voilà la vraie liberté. Si nous devions nous affranchir de nos «mauvais» côtés, de nos aspects les plus vils, de manière à ne vivre qu'avec le meilleur de nous-mêmes, ce serait l'esclavage perpétuel.

Lorsque nous pratiquons le Zen, nous ne nous assoyons pas avec l'intention de nous débarrasser de notre agitation et de notre anxiété, ni pour tenter de nous améliorer afin de devenir ce que nos parents, conjoints, amis ou même maîtres veulent que nous soyons. En fait, un maître qui essaierait de nous amener à changer, même si c'était «pour notre bien», ne serait pas un vrai maître zen.

Il est *très* pénible de nous accepter tels que nous sommes, avec tous nos défauts, toutes nos imperfections et toutes nos faiblesses, et de le faire sans jeter le blâme sur nos parents et sur l'éducation que nous avons reçue, sans accuser les autres d'avoir abusé de nous ou de nous avoir fait du tort et sans projeter d'être meilleurs, plus aimants et plus attentionnés à l'avenir. Si pénible, en fait, que nous ne pouvons rester ainsi que durant de courtes périodes, pour nous réfugier ensuite dans un brouillard de pensées et d'idées. Aussi nous faut-il sans cesse revenir à cette douleur. S'asseoir en ayant l'esprit dégagé consiste à abandonner ce brouillard et, avec lui, les raisons et les excuses justifiant notre méchanceté, de même que les résolutions et les promesses d'être bons. Surgit alors le fouillis de contradictions inhérent à nous tous, et cela devient tellement violent que nous cherchons à nous échapper — à nous échapper encore dans cette croyance que nous pouvons changer et que nous allons changer. C'est pourquoi le zazen est si difficile. À vrai dire, la pratique du zazen ne consiste pas à abandonner la morale religieuse mais à la vivre pleinement, d'une façon naturelle et spontanée. Si nous ne pouvons le faire, c'est qu'il nous reste encore du chemin à parcourir dans la pratique.

Le monologue intérieur

Le monologue intérieur est aussi un effort pour entretenir ces oppositions et ces contradictions. Durant toute la journée, un scénario semblable à un roman-fleuve se déroule dans notre esprit. Incohérent et décousu, il n'a aucune direction précise; tantôt ce scénario occupe l'avant-plan de notre esprit, tantôt il en occupe l'arrière-plan. Si quelqu'un me marche sur les pieds, il devient immédiatement le méchant de l'histoire, mais le scénario, toujours le même, est monotone et ennuyeux. Lorsque nous sommes attentifs, nous interrompons ce scénario; lorsque notre esprit est éveillé et qu'il ne s'appuie sur rien, le monologue tarit. On ne doit pas essayer délibérément d'éliminer ce scénario; il ne s'agit pas de chercher à le supprimer. Il y a des choses qui ne peuvent se produire que dans la pénombre, là où il n'y a pas de lumière, et ce monologue en est une. À la lumière de la conscience, la perte constante des énergies s'arrête comme les fantômes de l'esprit se dissipent. C'est un peu comme dans une classe d'où le professeur se serait momentanément absenté. Les élèves font beaucoup de bruit, se lancent des objets, se tirent les cheveux, sautent partout afin de dépenser leur énergie. Lorsque le maître revient, s'il est habile, il ne se mêlera pas aux cris et aux coups; cela ne ferait qu'amplifier la cohue. Il se contentera d'être là, et, un à un, les élèves retourneront à leur place et de nouveau régnera le silence.

Mais toute la difficulté est justement de «se contenter d'être là».

La voie du guerrier

On dit que le Zen est la voie du guerrier, et ce pour plusieurs raisons. Lorsqu'il s'avance vers son adversaire, le guerrier est vigilant mais non tendu. Il a la vigilance d'un chat assis devant le trou d'une souris; souple et insaisissable, il n'appréhende pas le pire et ne se contracte pas durant l'attente. Le chat peut sembler endormi, mais que la souris se montre le bout d'une moustache, et vlan! tout est fini.

Lorsqu'on pratique le zazen, ce doit être avec la vigilance du guerrier libéré de la confusion de ses pensées et de ses émotions. Si le guerrier est distrait par l'inquiétude, par la peur ou même par une simple pensée, immédiatement son adversaire peut l'assaillir et c'en est fait du combattant. Il en va de même pour le zazen: si nous perdons notre attention claire, notre conscience souple, ne serait-ce qu'un seul instant, nous sommes vite replongés dans le cours de nos pensées, perdant ainsi l'essence précieuse de l'Unité.

La voie du Zen est aussi appelée la voie du guerrier parce que toutes deux requièrent du courage. Comme nous l'avons dit, le monologue intérieur ainsi que le scénario qui l'accompagne forment un écran — comparable à un écran de fumée — qui éloigne de nous la souffrance, l'humiliation et l'agitation. Lorsque la fumée se dissipe, il nous est impossible d'éviter l'inconfort total de notre situation. Il faut du courage pour laisser la fumée se dissiper. Néanmoins, tout comme l'or de l'alchimiste est obtenu à partir des vils métaux de la *massa confusa*, ou la masse confuse, c'est de la douleur engendrée par les contradictions et la confusion qu'émerge la connaissance. Lorsque se lève le soleil de la conscience, peu à peu les ombres ténébreuses qui peuplent notre univers assombri s'évanouissent tels des spectres dépourvus de substance. Peu à peu nous nous apercevons que notre vie est remplie de tragédies, d'accidents et de misères qui jamais ne surviennent. Peu à peu nous nous rendons compte, tout comme Nansen, le grand maître zen, que la vie quotidienne est la Voie. En apprenant à souffrir, nous acquérons le pouvoir de ne plus souffrir.

Cela nous permet de comprendre pourquoi, d'une part, il n'y a rien à faire et tous nos efforts ne font qu'ajouter à la confusion; et pourquoi, d'autre part, tous les patriarches et les maîtres, à commencer par Bouddha lui-même, ont insisté sur la nécessité de l'effort durant la pratique. Le maître zen Dogen dit qu'il y faut des larmes, de la sueur et parfois même du sang. Yasutani Roshi avait coutume de dire que le seul fait de s'asseoir fait transpirer.

Nous efforcer de changer apparaîtrait comme un gaspillage d'énergie, car, quels que soient nos efforts, une difficulté surgirait à côté de celle que nous viendrions de surmonter. Cependant, nous ne pouvons nous empêcher d'essayer d'alléger la souffrance que nous cause notre état, et nous efforcer de changer est l'une des façons de tenter de le faire et est donc en accord avec le cours de la vie. Mais pour parvenir à l'Éveil, il faut justement aller à l'encontre du cours de la vie et s'ouvrir à la souffrance. Nous devons nager à contre-courant des idées, des jugements et des pensées qui sont censés à la fois colmater les brèches de notre cuirasse et dissiper l'énergie engendrée par la souffrance.

Dans les temples zen, on affectionne particulièrement l'image de la carpe. Pour se reproduire, la carpe doit remonter le courant, et, pour ce faire, elle doit nager à contre-courant dans les rapides et parfois même sauter dans des chutes. Ces bonds sont faits sans l'aide de pattes, en utilisant le corps tout entier. La carpe répète inlassablement son bond car chaque fois le courant la ramène à son point de départ. Cet effort de la carpe symbolise l'effort, la persévérance et la détermination que requiert la pratique du Zen. Il s'agit toutefois là d'un effort d'un genre entièrement nouveau, en comparaison des efforts que nous déployons pour apaiser notre souffrance au moyen des projets, de la compétition et des objectifs de notre vie quotidienne. C'est un effort sans effort, un effort pour ne pas retomber dans le courant de nos efforts habituels. C'est un effort pour simplement mettre l'esprit en éveil. Essayer de rationaliser cela ne mène qu'à des paradoxes et à des contradictions. L'effort même visant à maintenir l'esprit vigilant, intéressé et souple, libéré de toute pensée, de toute forme et de tout mot, révèle la nature de cette difficulté ainsi que l'impossibilité de décrire ce qui est nécessaire. Répétons-le une fois de plus: il n'est pas question ici d'un effort pour arrêter le flot de nos pensées, pour vider l'esprit ou pour cesser de penser, mais d'un effort pour mettre l'esprit en éveil en ne l'appuyant sur rien.

En raison des difficultés, du besoin de support et d'encouragement ainsi que du besoin d'être guidés, la plupart des gens trouvent plus facile de travailler en groupe et d'avoir près d'eux une personne qui les oriente.

CHAPITRE SEPT

La pratique dans un centre

L'importance d'être guidé

La plupart des grandes villes comptent actuellement au moins un sinon plusieurs groupes bouddhistes: zen, tibétain, Vipassana, Pureland. Et la majorité des gens qui pratiquent le bouddhisme sérieusement le font en groupe. Naturellement, cela ne veut pas dire qu'ils ne pratiquent pas en privé. Bien au contraire. La pratique individuelle est aussi importante que profitable, mais elle est habituellement complétée par un travail en groupe.

Deux difficultés majeures doivent être surmontées si l'on veut persister dans la pratique du Zen: la première est d'aller s'asseoir sur le coussin, et la seconde est d'y rester. On surmonte la première en fréquentant un centre de façon assidue et en respectant un horaire régulier, et la seconde en travaillant avec d'autres personnes et en adoptant la discipline du groupe. Cela nous permet en retour d'approfondir la pratique. Peu de gens sont capables de s'engager totalement dans quoi que ce soit; il y a toujours une partie de l'être qui reste à l'écart pour contester, critiquer ou chercher désespérément des solutions de rechange. Dans un groupe, il y a peu de chances qu'un tel problème devienne suffisamment sérieux pour que la pratique soit interrompue; le conflit se résorbe alors jusqu'à un certain point, et l'énergie normalement déployée pour lutter contre l'idée qu'il existe des solutions de rechange peut être récupérée pour la pratique.

On comprendra dès lors que pour parvenir à l'Éveil un travail long et ardu sera probablement nécessaire. En outre, ce travail est étranger aux préoccupations des Occidentaux, particulièrement à notre époque, où l'on accorde tellement d'importance aux divertissements, aux nouveautés et aux loisirs. Toutefois, il ne serait pas exagéré de dire que dans toutes les traditions spirituelles les gens ont été en quête d'Éveil — même si cela ne portait pas le nom d'Éveil — et que c'est une recherche inconsciente de l'Éveil qui donne naissance aux luttes et aux aspirations profondes que connaissent la plupart des gens à différentes périodes de leur vie.

Cela dit, il est bon de garder à l'esprit l'exhortation des maîtres et des patriarches à ne pas se fixer d'objectifs d'ordre spirituel et à ne pas s'efforcer consciemment de les atteindre, car cela ne constituerait qu'une entrave à la véritable pratique. Il faut plutôt concevoir la pratique comme un présent que l'on offre à la vie, un don de soi-même à ce que l'on pourrait appeler la force vitale ou la nature de Bouddha. Mais l'expression «force vitale» est un peu froide et abstraite, et jusqu'à un certain point inexacte. La plupart des religions ont personnifié cette force: le Christ, Krishna, Bouddha et d'autres encore. Cette personnification comporte l'avantage de rendre la pratique et le don de soi plus concrets, plus vivants, mais elle a l'inconvénient d'inciter l'imagination à forger toutes sortes d'images, d'histoires, de mythes et de théories qui acquièrent leur propre réalité et risquent d'entraver toute vie spirituelle. Mais que ce soit avec ou sans personnification, la pratique est toujours longue et ardue. C'est pourquoi il est bon d'avoir des compagnons de route, des amis qui nous supporteront lorsque le chemin sera parsemé d'embûches et que l'on pourrait perdre de vue le sens véritable du voyage.

L'importance d'un guide

Dans toutes les véritables voies de spiritualité, on insiste sur la nécessité d'un maître. La route est jalonnée de culs-de-sac, de fausses pistes, et à certains endroits le sentier se perd complètement. Si, dans ces moments difficiles, il n'y a personne pour nous guider, des mois et peut-être même des années de labeur peuvent être perdus. Mais il est essentiel que ce guide ait déjà parcouru ce chemin et qu'il soit en mesure d'agir comme un vrai guide. Le danger de l'aveugle conduisant un autre aveugle est aussi présent dans la pratique du Zen que dans n'importe quelle autre pratique; le fait qu'une personne se constitue elle-même professeur de Zen n'est aucunement une garantie. Ce qui importe avant tout, c'est que le professeur soit parvenu à l'Éveil et que cet Éveil ait été authentifié par un maître compétent dont l'Éveil a aussi été reconnu comme authentique. *Même si elle est la mieux intentionnée du monde et connaît parfaitement tous les aspects du Zen, une personne ne peut en aider une autre à s'éveiller si elle n'a pas elle-même connu le véritable Éveil.* Il est nécessaire d'authentifier l'Éveil parce que, durant la pratique, on peut souvent atteindre des instants sublimes, des moments très intenses d'introspection psychologique et philosophique, de samadhi, de visions et de réalisations très pénétrantes, et que, bien qu'ils soient une source d'inspiration et de gratification, ces moments n'ont rien à voir avec l'Éveil. Il est impossible de décrire l'Éveil — de fait, l'un de ses traits spécifiques est justement d'être au-dessus de toute description et de toute expression. Toutefois, une personne éveillée peut dire si quelqu'un est parvenu à l'Éveil et, dans une certaine mesure, en évaluer la profondeur.

Habituellement, l'Éveil en soi ne suffit pas; encore faut-il pouvoir l'intégrer dans la vie quotidienne, ce qui requiert pour la plupart des gens de dix à quinze ans de pratique. Un maître qui enseigne à des Occidentaux doit aussi avoir une grande expérience de la vie. En Orient, la pratique du Zen a été et est encore principalement monastique. Inutile de dire que la vie monastique, même si elle n'est aucunement facile ni même tranquille, est néanmoins très simple en comparaison de la vie laïque. Dans les sociétés occidentales du XXe siècle, le pratiquant poursuit habituellement une carrière, souvent est marié et élève une famille, et a des obligations sociales; il mène donc une vie assurément plus complexe et plus exigeante que quelqu'un qui vit dans un monastère. Un maître qui n'a pas lui-même contourné les écueils et les obstacles de la vie laïque ne peut que difficilement en concevoir les difficultés et n'offre donc aucune source d'inspiration vivante.

Tout cela pour dire que l'une des difficultés auxquelles les pratiquants du Zen ont à faire face en Occident est la grave pénurie de maîtres adéquatement formés. Ce manque de maîtres risque en retour d'être pallié par des gens qui n'ont pas les qualifications requises et qui vont vraisemblablement semer la confusion.

On pourrait croire que cette pénurie de maîtres ne pose pas de problème pour les gens qui désirent uniquement méditer et qui n'aspirent pas à l'Éveil. Mais cela est faux. Dire que l'on ne se préoccupe aucunement de la compétence d'un professeur, c'est comme dire que la méditation ne peut faire ni de bien ni de mal. D'excellents ouvrages ont été écrits sur les risques que comporte le travail spirituel, et certains devraient être lus par quiconque s'intéresse aux nouvelles voies spirituelles[1].

La vie dans un centre de Zen

Pour vous donner un aperçu de ce qu'est la vie dans un centre de Zen, nous décrirons le Centre de Zen de Montréal. Ce n'est pas qu'on veuille le proposer comme le meilleur modèle du genre, mais c'est qu'il ressemble en gros à la plupart des centres. Le Centre de Zen de Montréal est une rami-

1. Voir surtout: *Snapping*, par Flo Conway et Jim Siegelman, Delta Books, New York, 1978; *Cults of Unreason*, par le Dr Christopher Evans, Delta Books, New York, 1973.

fication du Rochester Zen Center, qui était dirigé par roshi Philip Kapleau, auteur de plusieurs livres, dont *Three Pillars of Zen*. Le Rochester Zen Center, quant à lui, est modelé sur le Hoshinji Zen Monastery of Japan, qui, à son apogée, était dirigé par Harada roshi et considéré comme l'un des monastères les plus dynamiques du Japon. Harada roshi ainsi que l'un de ses grands disciples, Yasutani roshi, sont les maîtres avec qui roshi Kapleau a travaillé durant treize ans au Japon. Harada roshi fut d'abord un bouddhiste zen soto, puis travailla avec un maître rinzai et parvint à l'Éveil sous sa direction. Avant de travailler avec Harada roshi, Yasutani était lui aussi un professeur soto. Tous deux se distinguent en ce qu'ils ont débuté comme prêtres soto et ont connu l'Éveil avec des maîtres rinzai. C'est là un fait digne de mention parce que — et il en est souvent de même chez les humains — la pratique du Zen au Japon s'est polarisée en deux groupes ou deux sectes distinctes: le Rinzai et le Soto. Il faut faire preuve de beaucoup de courage et d'ouverture d'esprit pour ainsi passer par deux sectes afin de découvrir les avantages et les inconvénients de chacune.

Le Centre de Zen de Montréal est une communauté laïque, mais il offre un programme pour résidants et pour non-résidants. Les résidants poursuivent leur carrière ou leur métier, mais mènent une vie familiale spirituelle. La base du programme est d'ordre spirituel, et seules sont admises les personnes qui désirent s'engager sérieusement dans la pratique. Cet engagement comprend le désir d'assister à la plupart des sessions de zazen et de sesshin ainsi que de s'efforcer à vivre de façon harmonieuse avec les autres, ce qui est beaucoup plus facile grâce à une base spirituelle commune; l'un des traits caractéristiques de cette communauté et d'autres communautés zen est d'ailleurs l'intensité de l'harmonie qu'on y atteint. Le mode de vie y est passablement austère; par exemple, il n'y a aucune consommation de tabac ou d'alcool dans la maison — en fait, aucun résidant n'a jusqu'à présent été tenté par l'une ou l'autre de ces habitudes. Il n'y a pas de télévision, et la musique ne peut être écoutée qu'en sourdine. Normalement, la nourriture est préparée et mangée en groupe; la cuisine est végétarienne et, quoique bien apprêtée, elle peut paraître fade au goût de certains.

La journée commence au son de la cloche, qui se fait entendre à 5:30, et de 5:45 à 7:15 a lieu une séance de zazen suivie de chants, dont nous reparlerons plus loin. Après le chant, les résidants se changent et préparent un petit déjeuner semi-formel. À table, les chants ont lieu avant et après les repas, et le silence est maintenu pendant le service. Aux chants succèdent habituellement des conversations animées, qui se tiennent dans une atmosphère détendue. Nous avons fait l'expérience de prendre individuellement notre petit déjeuner, mais il en est ressorti que l'harmonie de la maison en souffrait; il faut bien dire que le fait de partager un repas dépasse largement la simple satisfaction de l'appétit. Après le petit déjeuner, certains résidants se préparent pour aller travailler tandis que ceux qui en ont le temps desservent la table et lavent la vaisselle.

Plusieurs soirs de la semaine, les membres qui habitent à l'extérieur du Centre viennent pour le zazen. Ces soirées débutent à 19:30 et se poursuivent jusqu'à 21:30; ces deux heures sont réparties en trois périodes de trente-cinq minutes entrecoupées de kinhin. La soirée se termine par une séance de chants et de prostrations. Quiconque le désire peut devenir membre du Centre, pour autant qu'il pratique aussi à la maison. On n'insiste d'aucune façon auprès des aspirants pour qu'ils abandonnent la pratique de leur religion, et tous ceux qui ont une pratique dérivant d'une autre tradition reçoivent tous les encouragements possibles, pour autant que celle-ci soit authentique et qu'elle ne risque pas de déranger les autres membres. Bien que le Centre soit un organisme à but non lucratif, on demande aux membres de verser une cotisation mensuelle servant à couvrir les frais encourus par l'hypothèque, les biens utiles, etc. Personne en particulier ne profite de ces contributions; elles sont toutes utilisées par l'ensemble de la communauté, et comme elles ne suffisent généralement pas à supporter un centre, on compte sur les dons de ceux qui sont capables d'en faire.

Le sesshin

Le sesshin, une discipline

Chaque mois, sauf en juillet et en août, se tient un sesshin qui dure quatre ou sept jours. Le mot «sesshin» signifie, en gros, «unification de l'esprit»; il est l'occasion pour plusieurs de se rassembler pour une séance intense de zazen. L'horaire d'une journée de sesshin, ou de retraite, figure un peu plus loin. Le silence doit être maintenu durant tout le sesshin, et on demande aussi aux participants de garder les yeux baissés en tout temps. Cela permet d'instaurer une atmosphère intense, très propice à l'approfondissement de la pratique. Bien que certains trouvent difficile de se soumettre à une telle discipline, la plupart de ceux qui entreprennent cette pratique trouvent un certain soulagement dans le fait d'être libérés du poids des conversations, des discussions et des controverses, et, une fois qu'ils ont terminé leur premier sesshin, ils sont prêts à en entreprendre un autre.

On a dit du sesshin qu'il était «le grand ménage spirituel du printemps». Il est très difficile de décrire l'effet qu'il produit sur nous autrement qu'en disant qu'il donne, même aux débutants, au moins un aperçu de ce que serait la vie si nous avions l'esprit clair.

Travail, causeries et chants

En plus du zazen et du kinhin, il y a durant le sesshin des périodes de travail, des périodes de causeries ou des rencontres privées avec le maître, et des périodes de chants.

La période de travail est très importante, car non seulement elle permet de faire le ménage et de préparer les repas nécessaires durant le sesshin, mais elle permet aussi aux participants de rester vigilants en étant actifs.

Les causeries adressées aux participants au sesshin sont de deux sortes: la première est la causerie d'encouragement; la seconde, plus difficile à décrire, se situe à mi-chemin entre la conférence et la causerie d'encouragement. Celle-ci aide les participants à conserver l'intense vigilance requise pour la pratique du Zen. La vigilance peut diminuer sous le poids des longues heures de zazen, et l'encouragement peut contribuer à redonner la foi et l'énergie nécessaires. Le deuxième type de causerie ne vise pas simplement à informer ou à instruire le pratiquant mais à encourager l'Éveil de l'esprit. Ce n'est pas dans son intellect mais dans son propre état d'Éveil que le maître puisera sa causerie, afin de transmettre cet état à un niveau préverbal.

Les rencontres privées avec un maître peuvent être de deux types. Les débutants parlent d'abord de problèmes relatifs à la posture, à l'anxiété, à la douleur, aux pensées incontrôlables, etc. Certains cherchent à éclaircir quelques points de l'enseignement ou de la doctrine bouddhiste, et la rencontre prend alors la forme d'une consultation. Mais plus tard aura lieu un nouveau type de rencontre, souvent combinée à la consultation, au cours de laquelle les deux parties se mettront mutuellement à l'épreuve. Cela n'a rien à voir avec un conflit; il s'agit plutôt pour le pratiquant de pénétrer la vérité, de combler ses lacunes, tandis que le maître fera tout son possible pour lui venir en aide. Ce type de rencontre pourrait être comparé à l'éclosion d'un oeuf: pendant que l'oisillon cherche à faire éclore l'oeuf, la mère en frappe du bec la coquille.

Horaire d'un sesshin

Premier jour

6:30	Ouverture du zendo pour le zazen informel
7:00	Zazen
9:30	Fin du zazen formel
10:00	Thé servi dans la cuisine

Jours suivants

4:30	Lever
5:00	Zazen
7:00	Petit déjeuner
7:20	Période de travail
8:30	Période de repos
9:30	Zazen
10:10	Teisho
11:15	Zazen
12:30	Déjeuner et pause
13:30	Zazen
15:30	Chant
15:50	Exercices
16:30	Zazen
17:00	Dîner
17:25	Période de repos
19:00	Zazen
21:30	Fin du zazen formel
22:00	Thé suivi dans la cuisine

Dernier jour

13:15	Zazen
15:15	Mot de la fin et chant
15:45	Période de travail
16:30	Dîner

La pratique du koan

Pour faciliter cet échange, un maître de la tradition rinzai attribuera un «koan». Le koan est un dit ou parfois un fait d'un maître zen ou de Bouddha. Cette pratique est utilisée au Centre de Zen de Montréal pour ceux à qui elle convient. Lorsque s'exprime une personne très éclairée, elle le fait à partir de ce qui sous-tend toutes les oppositions, ou à partir de leur source. C'est pourquoi il faut, pour pénétrer ce que veut dire un maître zen, pénétrer *cela* et donc délaisser la dualité normale de la pensée. Pénétrer *cela* est Éveil, et c'est cette lutte pour détourner l'esprit des canaux habituels de la dualité qui donne naissance au combat intense nécessaire à la pratique du Zen.

Toutefois — et en même temps —, comme le maître a déjà travaillé avec le koan, un nouveau type de relation peut se développer, où le koan serait un pont et les résultats du travail du pratiquant seraient les passants qui franchissent ce pont. C'est pourquoi il serait imprudent de travailler seul sur un koan. D'une part, comme il n'y aurait personne pour animer le koan, cette pratique individuelle serait une perte de temps. D'autre part, comme les koans sont de nature à cristalliser certaines préoccupations très fondamentales, il se peut que celles-ci se frayent un passage jusqu'à la conscience sous la forme d'une anxiété très profonde. Privé de l'assistance d'une personne compétente, le pratiquant risque de vivre des moments bien difficiles.

Le makyo

Cette difficulté que pose la pratique du Zen porte en japonais le nom de «makyo». Encore une fois, nous employons un terme japonais, faute d'équivalent français satisfaisant. De façon générale, tout ce qui survient durant la pratique, mis à part l'Éveil, est appelé makyo; cela comprend aussi bien les états d'extase que les états de frayeur. Les mots qui, en français, se rapprochent le plus du sens de «makyo» sont «illusion» ou même «hallucination», mais le premier est trompeur et le second est trop fort. La crainte que l'on peut parfois éprouver au cours de la pratique du Zen est incontestablement réelle; elle n'est pas illusoire, et pourtant elle est makyo. De même, on peut parfois ressentir cette sensation sublime où le corps, l'esprit et l'univers se fondent en un état de joie et de douce quiétude. Cela aussi est bien réel, mais est encore makyo. À d'autres moments, on sait à l'avance ce que quelqu'un, disons le maître, va dire, par exemple dans une causerie d'encouragement ou même au cours d'un entretien individuel. Il semble alors qu'on ait retiré la couche extérieure de la «réalité» et que l'on communique directement avec la pensée des autres. Cela aussi est makyo. Plusieurs religions font grand cas de ces expériences singulières et inhabituelles, mais dans le Zen elles constituent plutôt une entrave à la pratique si on s'y attarde trop ou si on leur attribue une valeur particulière. Un grand maître zen a dit: «Mes grands pouvoirs magiques et miraculeux sont de fendre du bois et de tirer l'eau du puits.» Aujourd'hui, un maître zen dirait plutôt: «Mes grands pouvoirs magiques et miraculeux sont de laver la vaisselle et de sortir les ordures.» Autrement dit, le miracle n'est pas, disons, de pouvoir marcher sur les eaux, mais de marcher simplement.

Le makyo le plus fréquent et le plus familier est celui de l'illusion psychologique. Il arrive parfois que toute la structure mentale subisse un déplacement substantiel de son centre au moment où les vieux traumatismes sont libérés et que s'envolent les considérations et les jugements qui étaient maintenus en place par ces mêmes traumatismes. Pour les intellectuels plus particulièrement, ces modifications peuvent être très précieuses, car, si elles sont suffisamment profondes, elles peuvent entraîner une réorientation complète de la conception de la vie et de la vision du monde, et c'est d'ailleurs pourquoi on les confond souvent avec l'Éveil. Encore là, on ne peut mettre en doute la réalité de ces modifications — en fait, elles peuvent même provoquer une réévaluation de la réalité. Cela aussi est makyo, et un maître compétent saura ramener le pratiquant à sa pratique, sans toutefois nier l'existence de ces phénomènes ou encore les ignorer. Autrement, l'esprit du pratiquant risque de se disperser en un flot de pensées, de jugements et d'idées, telle une ruche d'abeilles que l'on aurait secouée.

La crainte et la frayeur qui peuvent survenir brusquement et de façon inopinée sont tout aussi difficiles à vivre. L'une des raisons de ce phénomène, paradoxalement, est que des tensions se dissipent et que s'effectue un changement dans ce que l'on pourrait appeler notre conscience kinestésique. La plupart des pratiquants, sinon tous, éprouvent alors la *sensation d'eux-mêmes*. Cette sensation de soi comporte la sensation provenant des tensions, de même que d'autres sensations: celle de se croiser les jambes ou les bras, de se gratter le nez ou le dessus de la tête, moyens habituels de maintenir la sensation de soi. Dans les situations d'agitation ou d'incertitude, ce besoin de sensation de soi s'accroît et conséquemment la tension augmente. Ce que nous croyons alors être nous-mêmes est, entre autres, une cathédrale de tensions et un ensemble de *sensations rituelles*. Nous employons l'expression «cathédrale de tensions» parce que, comme dans le cas d'une cathédrale gothique, chaque tension supporte toutes les autres. Ainsi, durant une séance intense de zazen, une tension fondamentale peut céder, provoquant ainsi un changement radical de notre conscience kinestésique; nous avons alors l'impression qu'une modification profonde s'est opérée en nous. Nous perdons momentanément contact avec ce que nous appelons notre *soi*, ou, pour mieux dire, nous perdons notre sens de l'orientation. Cela peut libérer une quantité considérable d'anxiété et, si on ne comprend pas ce qui se passe en nous, cette anxiété et ce déplacement kinesthésique peuvent faire perdre la confiance de base et avoir des répercussions pouvant s'étendre sur plusieurs semaines, voire plusieurs mois.

Ce déplacement kinesthésique n'est, bien sûr, que l'une des nombreuses causes de la crainte et de l'anxiété éprouvées durant la pratique. Cela aussi est makyo, mais si l'on ne s'y raccroche pas, il peut en résulter un réajustement important, et pour le mieux, de l'orientation globale d'un individu, et peut-être même une perception de la nature de ce sens kinesthésique même. Au cours de sa pratique, un maître compétent aura sans aucun doute fait l'expérience de ce déplacement kinesthésique et des autres craintes ressenties durant la pratique, et il n'aura donc aucune difficulté à rassurer le pratiquant.

Il est une bonne maxime que l'on doit garder en mémoire: tout ce qui est provoqué par le zazen sera résolu par le zazen, et cela de manière à procurer, la plupart du temps, une plus grande stabilité et une meilleure perspicacité. Cependant, il est bon de discuter de tels problèmes avec un maître expérimenté.

Le chant

Enfin, quelques mots sur le chant, qui occupe une place importante mais non primordiale dans le sesshin. Quelques exemples des paroles de ces chants apparaissent dans les pages qui suivent. Durant le sesshin, le chant occupe environ vingt minutes de l'après-midi et a lieu aussi avant les repas et à la fin de la journée. Ces derniers chants consistent en quatre voeux auxquels succèdent trois prostrations. Comme ces voeux représentent une partie importante de la pratique du Zen, nous allons nous y attarder.

PRAJNA PARAMITA HRIDAYA

LE SOÛTRA DE LA PARFAITE SAGESSE

Avalokita Bodhisattva
Au plus profond de la Prajna
Voyant le vide des cinq Skandhas
Brise les liens de la souffrance

Sache que la forme n'est que vide
Et que le vide n'est que forme
Forme n'est autre que vide
Vide n'est autre que forme.

Sentiment, pensée et choix
Même la perception
Sont vides aussi.

Les dharmas aussi sont vides
Tous sont le vide originel
Rien ne naît ou meurt
Rien ne ternit ou brille
Rien ne grandit ou décroît

Le vide ne contient ni forme
Ni sentiment, pensée ou choix
Ni n'a de soi la conscience

Ni oeil, oreille ou nez
Ni langue, esprit ou corps
Pas de couleur, d'odeur, de son
Rien à goûter, rien à toucher
Rien à penser ou percevoir.

Pas d'ignorance
Ni fin de l'ignorance
Et rien qui naît de l'ignorance,
Ni déclin ni mort,
Ni fin de l'un ni fin de l'autre

Pas plus n'existe la douleur
Ni cause ni fin de la douleur
Nul sentier noble libérant
Et nulle sagesse à atteindre
Même la connaissance est vide.

Ainsi le Bodhisattva
Ne s'attache à rien de rien
Et vit au coeur de la Prajna
Libéré de toute illusion
Et sans les craintes
Qu'elle engendre
Atteint le plus pur nirvana.

C'est par leur foi dans la Prajna
Que les Bouddhas passés, présents
Et tous les Bouddhas à venir
Connaissent le Grand Éveil.

Sache donc la Dharani
Son éclat sans égal
Mantra qui calme tous les maux
L'infaillible et puissant mantra
Prajna Paramita.

Voilà Sagesse infinie
Au-delà de tout doute
Vis et répands sa vérité

Gate, gate
Paragate
Parasamgate
Bodhi, Svaha!

Prajna-paramita

C'est le coeur de l'enseignement du Zen. Nous sommes d'ores et déjà familiers avec le prajna, présenté précédemment sous le nom de contemplation. Le mot «paramita» signifie «traverser sur l'autre rive». Le soûtra prajna-paramita prône donc le prajna comme étant la voie transcendant la dualité et donc transcendant la souffrance. C'est à partir des profondeurs de la contemplation, c'est-à-dire avec un esprit *mis en éveil et ne s'appuyant sur aucune forme, image, idée ou pensée*, à partir des profondeurs de la simple conscience, que le Bodhisattva pénètre le vide des cinq skandhas. Nous avons parlé des cinq skandhas au chapitre trois et avons en outre expliqué ce que signifie le «vide».

Forme n'est autre que vide
Vide n'est autre que forme.

C'est là l'une des plus sublimes affirmations spirituelles. Toute forme est modification de la conscience pure, qui n'a elle-même aucune forme. Tous les objets en bois, les chaises, les tables, les planches et les blocs de bois, les arbres de toutes sortes, sont autant de formes que peut prendre le bois. Cependant, le bois exempt de forme est impensable, tout comme le vide sans forme.

La négation constante de l'oeil, de l'oreille, du nez, de la sensation, de la douleur, etc., constitue en fait la négation des enseignements bouddhistes.

Et nulle sagesse à atteindre
Même la connaissance est vide.

Même le prajna, même la contemplation est vide. Aller au-delà même de l'idée d'aller au-delà, tel est le prajna-paramita.

Plus ancien que le bouddhisme, le dernier mantra dit:

Gate, gate
Paragate
Parasamgate
Bodhi
Svaha!

Ce qui signifie:

Allé, allé
Allé au-delà
Allé tout à fait
Bodhi
Svaha!

Bodhi est la source de la lumière de la connaissance, ce qui est au-delà de tous les au-delà. Nous pourrions dire qu'elle est la source de la simple conscience. Elle est au-delà, non pas en termes d'années-lumière ou d'infinitude du temps, mais en ce qu'elle est inaccessible à la pensée réflexive.

Un chant hindou proclame:

Mon Seigneur est dans mon oeil,
C'est pourquoi je le vois partout.

Svaha! signifie «Réjouissez-vous!». Qui ne se réjouirait pas à la vue du moindre geste de cette Mère de tous les Bouddhas[1] ?

---

1. Le prajna-paramita est connu sous le nom de Mère de tous les Bouddhas.

LE SOÛTRA DE KANZEON

KANZEON!
Gloire à Bouddha!
Tous sont un avec Bouddha,
Tous s'éveillent au Bouddha.
Bouddha, Dharma Sangha:
Liberté, joie, pureté.
Tout le jour Kanzeon.
Toute la nuit Kanzeon.
Cette pensée vient de l'esprit de Bouddha.
Cette pensée est une avec l'esprit de Bouddha.

LE SOÛTRA DE KANZEON

Dans le prajna-paramita, le protagoniste était le Bodhisattva[2] de la Compassion. Ce dernier était connu sous le nom de Avalokitesvara en langue sanscrite. En japonais, il porte le nom de Kanzeon. À l'origine, Avalokitesvara était un homme, un disciple de Bouddha qui parvint à l'Éveil en pénétrant la nature du son. Plus tard, lorsque l'aspect dévotion prit plus d'ampleur dans le bouddhisme, Avalokitesvara se transforma en femme. Du point de vue de la dévotion, le Bodhisattva de la Compassion possède plusieurs des attributs de la Vierge Marie, avec qui il présente une similitude frappante. Ce Bodhisattva est le sujet de ce chant.

---

2. Le mot «Bodhisattva» a plusieurs significations. Il peut désigner une personne particulièrement évoluée qui renonce à entrer dans le nirvana final afin de venir en aide à tous les êtres humains qui en ont besoin. Dans la pratique zen, il peut aussi désigner une personne qui est engagée dans la voie, qui a en toute sincérité prononcé les quatre voeux. Ce terme peut aussi être employé dans un autre sens; nous y reviendrons plus loin.

Tout comme chacun de nous est intrinsèquement Bouddha, chacun de nous est aussi intrinsèquement Kanzeon. Tout comme Bouddha est la manifestation de notre Éveil, Kanzeon est la manifestation de la compassion inhérente à tout être humain. Ce chant est une invocation de cette compassion.

On dit que Kanzeon est dotée de mille yeux et de mille bras: *des yeux pour voir la souffrance du monde et des bras* pour l'apaiser. On la dépeint parfois comme ayant plusieurs têtes; au Centre de Zen de Montréal, nous avons un Bodhisattva à onze têtes. Toute cette iconographie a posé plusieurs problèmes aux premiers missionnaires, qui croyaient que les bouddhistes adoraient des monstres, mais depuis que les Occidentaux ont été sensibilisés à de nouvelles représentations de la réalité par les cubistes, les impressionnistes, les surréalistes, nous ne trouvons plus cela choquant.

L'invocation de la nature compatissante consiste à nous éveiller à la souffrance d'autrui et à faire surgir en nous le désir de travailler pour la délivrance de tous. Notre propre souffrance s'inscrit dès lors dans une nouvelle perspective et elle est perçue comme un élément de la saga continue de la nature bouddhique ou de l'élan vital.

LE CHANT DU ZAZEN DE HAKUIN ZENJI

Depuis toujours tous les êtres sont Bouddha.
Comme l'eau et la glace:
sans eau pas de glace,
hors de nous point de Bouddhas.
La vérité si proche
nous la cherchons si loin,
comme une personne immergée criant: «J'ai soif.»
Comme un enfant de riche errant pauvre sur terre,
nous parcourons sans fin les six royaumes.
C'est l'illusion du moi
qui cause notre peine.

Toujours plus égarés
nous errons dans l'obscur —
comment nous libérer
du cycle naissance-et-mort?

La voie qui libère est zazen-samadhi—
par-delà nos éloges et nos chants
le pur Mahayana.
L'observance des préceptes, le repentir, le don,
les bienfaits sans nombre,
la voie d'une vie juste,
tout nous vient de zazen.
Un seul vrai samadhi
éteint les flammes du mal,
purifie le karma et défait les entraves.
Où sont alors les voies sans issue de la nuit?
La terre de pureté est si près.
Entendre cette vérité d'un coeur pur et reconnaissant,
la chanter, l'embrasser,
pratiquer sa sagesse,
donne grâces infinies et mérites sans mesure.

Mais si, trouvant la source,
nous prouvons notre Vraie Nature,
que le Vrai Soi est non-soi,
que le propre soi est non-soi,
nous dépassons le moi et son langage habile.
La porte s'ouvre alors sur l'un
de la cause et de l'effet.
Non trois et non deux,
droit devant nous la Voie.
Notre forme désormais non-forme,
en allant et venant nous restons chez nous.
Notre pensée désormais non-pensée,
nos chants, nos danses
sont la voie du Dharma.

Qu'elle est vaste, l'immensité du samadhi!
Si lumineux, le clair de lune de la sagesse!
Qu'y a-t-il hors de nous
et de quoi manquons-nous?
Le nirvana est là sous nos yeux.
La terre qui nous porte
est la terre de pureté
et ce corps même le corps de Bouddha.

Le chant du zazen de Hakuin Zenji

Hakuin est un maître zen japonais qui vécut au XVIIe siècle. C'était un homme profondément éveillé, et son enseignement contribua à susciter un regain d'intérêt pour la pratique du Zen au Japon.

Ce chant comporte trois phases ou trois étapes. La première phase est celle de l'éveil à notre sort, de la prise de conscience du fait que même si nous sommes Bouddha de façon inhérente, néanmoins:

Toujours plus égarés, nous errons dans l'obscur —
comment nous libérer du cycle naissance-et-mort?

La deuxième phase du chant prône les vertus de la pratique du zazen, qui mène au samadhi, unité connaissante qui anime toutes choses. C'est la voie de la prière, de la méditation et de la concentration, celle qui conduit à l'unification en ces rares instants «par-delà nos éloges et nos chants», comme on la décrit dans le témoignage qui suit:

> «Soudain, et sans avertissement, quelque chose d'invisible sembla s'étendre dans le ciel, transformant le monde qui m'entourait en une sorte de chapiteau de signification accrue et concentrée. Ce qui n'avait été qu'extérieur devint intérieur. L'objectivité s'était en quelque sorte changée en un fait complètement subjectif que j'expérimentais comme «mien», mais à un niveau

où le mot n'avait plus de signification, parce que «je» n'étais plus le moi familier. Rien de plus ne peut être dit au sujet de cette expérience...[3]»

Cela nous «donne grâces infinies et mérites sans mesure».

Mais plus loin le verset dit:

Mais si, trouvant la source,
nous prouvons notre Vraie Nature...

C'est l'Éveil, et, jusqu'à la fin du verset, Hakuin nous parle de l'état d'Éveil, un état qui n'est pas intermittent mais constant, un état qui ne procure pas de grâces infinies mais qui est la source même de ces grâces, un état qui n'est même pas un état car:

La terre qui nous porte est la terre de pureté[4]
Et ce corps même le corps de Bouddha.

Ce que nous sommes et ce que nous avons toujours été ne peut être décrit comme un état; mais pour pénétrer ce que cela signifie...

LES QUATRE VOEUX

Tous les êtres innombrables
je fais voeu de libérer.
Les passions aveugles et sans fin
je fais voeu de vaincre.
Les barrières infinies du Dharma

---

3. F.C. Happold, *Mysticism*, Penguin, 1963, p. 130.
4. Le ciel.

je fais voeu de franchir.
La Grande Voie de Bouddha
je fais voeu d'atteindre.

LES QUATRE VOEUX

Ces voeux ne sont pas prononcés en présence d'une autre personne, de Dieu ou de Bouddha, ou de qui que ce soit d'autre. Ils sont plutôt l'affirmation du désir ardent que nous avons tous de parvenir à l'Éveil. Tout fait accompli par l'être humain peut être interprété comme une manifestation de ce désir, même si celle-ci est presque toujours déformée ou avortée. On dit que ce sont des *voeux* parce qu'ils nous donnent l'entière possibilité de réaliser ce à quoi nous aspirons. Il est important de noter l'ordre dans lequel ils sont prononcés.

Le premier est le voeu de s'éveiller, pas seulement pour soi-même mais pour tous les êtres vivants. Ce n'est pas un voeu de nature altruiste, mais plutôt un voeu vraiment pratique, qui, adopté avec sérieux, contribue à détourner la pratique du simple exercice psychologique entrepris égoïstement, pour nous faire entrer dans un royaume transcendant où le moi et l'autre sont perçus comme un seul Esprit. Pratiquer uniquement pour soi ne peut que conduire à un sentiment accru d'éloignement et de solitude. À mesure que la pratique progresse, la frontière qui nous sépare des autres devient plus perméable; au lieu que le soi et les autres soient vus comme deux substances distinctes, séparées par un abîme infranchissable, nous voyons que nous appartenons tous à une seule et même substance. Il devient alors tout naturel d'aimer les autres; nous n'avons plus à apprendre à aimer les autres mais à apprendre à ne plus nous en éloigner.

Le deuxième voeu est de désamorcer les passions de la convoitise, de la colère et de l'ignorance. Selon le bouddhisme, seule l'ignorance représente une faute. Plusieurs en seront étonnés puisque nous vivons dans une société où l'on considère l'ignorance comme un état passif auquel on ne peut rien. L'ignorance semble résulter d'un manque d'information, lequel peut être corrigé par l'instruction. Selon le bouddhisme, l'ignorance est un état actif; nous ignorons activement la *totalité* au profit d'une *partie*. Pour déraciner la passion de l'ignorance, il faut percevoir toute chose comme étant le tout, complète en soi. Le roshi Yasutani avait coutume de dire: «Chacun de nous est un repas complet; même la tasse fêlée trouve sa perfection en tant que tasse fêlée.» La colère et la convoitise fleurissent dans l'obscurité de l'ignorance. Nous sommes cupides à l'égard de ce qui nous nourrit, et préservons la part que nous avons choisie comme la plus importante; aussi nous mettons-nous en colère lorsque cette part est diminuée ou menacée. Sous le soleil de l'Éveil, les ombres de la convoitise sont transformées en rayons de la compassion, tandis que les buissons d'épines de la colère sont transformés en fleurs de l'engagement.

Le troisième voeu est de franchir «les barrières infinies du Dharma». Le grand maître japonais Dogen disait: «Il n'y a pas de commencement à la pratique ni de fin à l'Éveil, comme il n'y a pas de commencement à l'Éveil ni de fin à la pratique.» Nous pouvons toujours approfondir notre pratique. Se reposer en chemin est humain; s'arrêter est impossible. Ou nous progressons ou nous régressons. Chaque rencontre ou chaque situation, chaque moment de colère ou de convoitise, de conflit ou de suspicion, de succès ou d'échec est une porte dharmique que nous franchissons ou fermons devant nous.

Le dernier voeu est d'atteindre la Grande Voie de Bouddha, celle de l'Éveil à l'unité et à la perfection de tout. Comme il est merveilleux de pouvoir même seulement méditer sur un tel voeu, celui de réaliser pleinement ce que l'on est: le soleil spirituel qui donne vie et lumière à tous sans exception.

Les trois prostrations

Ces voeux sont chantés trois fois, attentivement et en toute conscience de leurs implications. À ces quatre voeux succèdent trois prostrations, car, comme ces voeux sont des affirmations, il convient de les faire suivre d'un geste d'humilité, d'un geste fait par l'homme depuis des temps immémoriaux.

Le corps possède un langage qui lui est propre. Il est fascinant d'en apprendre la grammaire et la syntaxe, et de voir que tous nos états d'âme, même les plus subtils, même ceux que nous voudrions dissimuler, ont leurs gestes propres. Il y a tant de façons différentes de se mouiller les lèvres, de tousser, d'ouvrir, de fermer et d'entrouvrir les yeux. Il semble qu'une danse fort complexe et subliminale accompagne la parole, et que chaque culture possède sa propre danse. On peut se demander si c'est la danse qui appelle les mots ou si ce sont les mots qui appellent la danse. Quoi qu'il en soit, on ne peut nier l'existence du geste. La salutation et la prostration viennent des profondeurs les plus insondables de notre vitalité.

Dans la pratique du Zen, on ne s'incline pas devant un autre, mais devant l'Autre. On dit que le Zen est la voie du pouvoir de *Soi*, et que d'autres religions, comme certaines formes du christianisme, sont la voie du pouvoir de l'*Autre*. Si cela signifie quelque chose, c'est que le Zen est la voie qui conduit à l'Autre à travers le Soi, alors que d'autres religions conduisent au Soi à travers l'Autre. Les deux voies conduisent à l'unité ou sainteté, qui est au-delà du Soi et de l'Autre. La salutation reconnaît l'existence de l'Autre, mais pas comme quelque chose de distinct. Sur l'autel bouddhique apparaît une image de Bouddha; il est l'Autre. Cependant, tant que nous considérons Bouddha comme *quelque chose* ou *quelqu'un* d'autre, nous nous apercevons que ce qui était une fenêtre est devenu un mur. Un moine nommé Etcho demanda un jour à un maître zen: «Qui est Bouddha?» Le maître lui répondit: «Tu es Etcho.»

La façon de chanter

Dans le Zen, le chant se fait de manière très vigoureuse. On l'accompagne du rythme régulier du mokugyo, sorte de tambour en bois, tout en frappant sur le keisu, qui est un grand gong en forme de cuvette. Dans l'ensemble, le chant est exécuté sur un ton uniforme, sans modulations, et provient du hara. Durant un sesshin, il constitue une source d'inspiration en même temps qu'il procure un apaisement fort apprécié. En outre, il nous permet de pénétrer les aspects les plus grossiers de notre personnalité, ces parties de nous qui sont comme une carapace durcie par l'abus du don de la parole, qui est à la fois un don des dieux et la malédiction d'Adam.

CHAPITRE HUIT

Quelques questions courantes

Q.: Vous avez parlé du Soto et du Rinzai. En quoi ces deux écoles se distinguent-elles?

R.: Il est dommage que nous, les Occidentaux, ayons hérité de cette opposition qui est essentiellement un problème japonais. Fondamentalement, il n'y a aucune différence; ce n'est qu'une question d'insistance sur des aspects différents. La secte soto met l'accent sur la vérité que *nous sommes déjà, tels que nous sommes ici et maintenant, pleinement éveillés.* Le Rinzai met plutôt l'accent sur l'importance d'une connaissance empirique de cette vérité. C'est un peu comme si quelqu'un disait: «Cette crème glacée est exquise» alors qu'un autre dirait, après l'avoir goûtée: «Oui, c'est vrai.»

Q.: La différence essentielle entre le Rinzai et le Soto n'est-elle pas que la secte rinzai insiste sur l'Éveil tandis que la secte soto affirme qu'il n'est pas nécessaire de parvenir à l'Éveil?

R.: Il serait faux de croire que les maîtres soto affirment qu'il n'est pas nécessaire de connaître l'Éveil. Dogen, le fondateur de la secte soto japonaise, est clairement parvenu à l'Éveil après avoir entendu son maître réprimander un moine endormi. Tungshan Liangcheh, le fondateur de l'équivalent en Chine de l'école soto, a atteint l'Éveil en regardant le reflet de son image dans un ruisseau. Alors, s'ils ont eux-mêmes connu l'Éveil, pourquoi le refuseraient-ils aux autres?

Q.: Si j'ai bien compris, la discipline est très stricte dans certains centres de Zen. Mais comme le Zen est censé être un moyen de se libérer, n'y a-t-il pas là une contradiction?

R.: Si l'on estime que se soumettre à une discipline a une valeur en soi, vous avez raison. Mais si l'on reconnaît que la discipline constitue un moyen d'atteindre un but, pourquoi y aurait-il contradiction? Nous avons normalement l'esprit si éparpillé que notre principal problème est de nous recueillir. C'est ce recueillement que nous pourrions appeler discipline. Si les moyens d'y parvenir viennent de nous, il s'agit d'autodiscipline; s'ils viennent de l'extérieur, il s'agit alors de discipline. Il est intéressant d'observer que plus la discipline est exigeante, plus il est facile de travailler sur soi, pour autant que la discipline soit uniquement liée à ce recueillement et non à un goût du pouvoir de la part du maître ou à un désir de dépendance de la part de l'élève. Toutefois, cette démarche comporte un danger, qui est de confondre cette liberté de travailler sur soi avec la véritable liberté, ainsi que la soumission avec un progrès spirituel. Si vous décidez de vous soumettre à une discipline, vous devez garder l'attitude du non-conformiste. En aucun cas, la discipline ne doit empiéter sur l'autonomie ou le respect de soi.

Q.: Je ne comprends toujours pas la nécessité du rituel et du culte dans la pratique du Zen. N'est-ce pas une sorte de conditionnement?

R.: Il est difficile de répondre d'une façon satisfaisante à cette question en quelques mots seulement. Il faut se rappeler qu'il existe différents types d'individus. Certains sont plus sensibles aux idées, d'autres aux émotions, d'autres encore au langage du corps ou aux symboles, etc. En outre, le rituel n'a rien à voir avec la pensée conceptuelle et il ne peut être expliqué à l'aide de concepts. Par exemple, si vous désiriez faire connaître à quelqu'un les plaisirs de la natation, que feriez-vous? Vous l'emmèneriez sûrement se baigner. De même, certaines choses, pour ne pas dire toutes les choses, ne peuvent être appréhendées que par l'expérimentation. Enfin, votre question se termine sur la crainte très actuelle du conditionnement. Nous avons tous une peur terrible d'être *conditionnés*. Toutefois, la solution au conditionnement n'est pas de lui résister mais d'être attentif. La vie est une longue séance d'hypnose dont il faut s'éveiller.

Q.: Un chrétien pratiquant peut-il pratiquer le Zen?

R.: Tout dépend du Zen et du christianisme dont il est question. Considérez par exemple la phrase suivante: «Dieu habite réellement chaque âme, même celle du plus grand pécheur. Cette union est toujours présente puisque c'est en elle et par elle que Dieu soutient l'être.» Mais il existe une autre sorte d'union «qui ne peut avoir lieu que lorsque l'âme parvient à ressembler à Dieu en vertu de l'amour». On peut facilement assimiler la première union à l'affirmation de Soto selon laquelle *nous sommes déjà éveillés* et qu'il n'est pas nécessaire d'atteindre l'union avec Dieu puisque cette union est notre nature même. La seconde union correspond à l'affirmation du Rinzai selon laquelle *il faut atteindre l'Éveil*, l'union avec Dieu doit être réalisée. Ces citations chrétiennes sont tirées des écrits de saint Jean de la Croix. J'en recommande souvent la lecture car ils sont une grande source d'inspiration. Maître Eckhart, autre très grand chrétien, a dit que «Dieu nous fait connaître, et sa connaissance est son être, et son acte de me faire connaître est identique à ma connaissance, de sorte que sa connaissance est mienne». Eckhart parle ici de la connaissance claire, de l'attention pure, dont il a été question plus haut, qui est tout autant la connaissance de moi par l'Autre que la connaissance de l'Autre par moi. Saint Jean et maître Eckhart insistent tous deux sur le fait que la seule façon de s'unir à Dieu est de rejeter toutes les images, les idées et les formes de Dieu, et qu'en outre cette union ne constitue pas une situation nouvelle mais la découverte de ce qui a toujours été. Pour ces chrétiens, l'Éveil est la preuve de l'infinie miséricorde de Dieu; pour les bouddhistes zen, l'union avec Dieu est la pénétration de notre véritable nature. Cependant, certains chrétiens considèrent comme primordiale l'unicité du Christ comme seule vraie manifestation de Dieu fait homme. Tandis que certains bouddhistes zen considèrent comme primordial que la pratique soit faite en conformité avec un modèle très strict et que les rituels soient bouddhistes sans la moindre équivoque. Il ne peut y avoir aucun rapprochement entre ces chrétiens et ces bouddhistes. Mais dans les deux cas il serait malavisé de tenter de *fusionner* le christianisme et le bouddhisme; il faut plutôt explorer le *fond*, qui n'est ni chrétien ni bouddhiste.

Nous ne cesserons pas notre exploration
Et le terme de notre quête
Sera d'arriver là d'où nous étions partis
Et de connaître le lieu pour la première fois.

T.S. Eliot, *The Four Quartets.*

Remerciements

Je veux exprimer ma reconnaissance aux Sanghas de Montréal, dont plusieurs m'ont apporté une aide précieuse en lisant et en commentant mon texte. Je désire remercier particulièrement Alan Travers, Tony Stern et Ovid Avarmaa, pour leurs remarques et leurs suggestions. Je tiens également à remercier Roger Bellemare, Roland Marquis et Robert Watson, pour leur importante contribution à la traduction.

Je veux enfin remercier mon épouse Jean, pour son appui indéfectible.

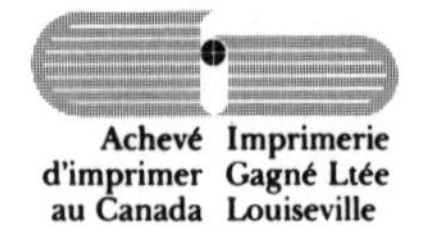
Achevé
d'imprimer
au Canada
Imprimerie
Gagné Ltée
Louiseville